불가리아 출신
율리안 모데스트의 에스페란토 원작 소설

바 다 별
(에스페란토 포함)

JULIAN MODEST
Mara Stelo
Novelaro,
originale verkita en Esperanto
Eld.: Impeto – Moskvo
2013

불가리아 출신
율리안 모데스트의 에스페란토 원작 소설

바 다 별
(에스페란토 포함)

율리안 모데스트 지음
오태영 옮김

진달래 출판사

바다별(에스페란토 포함)

인　쇄 : 2021년 7월 5일　초판 1쇄
발　행 : 2023년 12월 5일 초판 3쇄
지은이 : 율리안 모데스트(JULIAN MODEST)
옮긴이 : 오태영(Mateno)
펴낸이 : 오태영
출판사 : 진달래
신고 번호 : 제25100-2020-000085호
신고 일자 : 2020.10.29
주　소 : 서울시 구로구 부일로 985, 101호
전　화 : 02-2688-1561
팩　스 : 0504-200-1561
이메일 : 5morning@naver.com
인쇄소 : TECH D & P(마포구)

값 : 15,000원
ISBN : 979-11-91643-06-0(03890)

목차

Enhavo

가을의 만남

나는 버스로 여행했다. 여행은 길고 지루했다.
내 옆에는 대략 70대로 보이는 노인이 앉아 계셨다.
그렇게 키는 크지 않고 조금 진한 잿빛 머릿결과 호수같
이 파란 눈동자를 지녔다.
아무 말 없이 앉은 노인의 눈동자는 꿈에 젖어있었다.
마치 무언가를 간절히 바라는 듯했다.
대답을 기대하지 않은 채 내게 말을 거셨다.
"긴 여행이지요?"
"예" 우물쭈물 대답했다.
말하고 싶지 않았지만, 노인은 이어서 말을 거셨다.
분명히 지루해서 누군가와 이야기를 나누고 싶었는데 마
침 내가 가장 가까이에 있었다.
"삶은 긴 여행과 닮았어요." 하고 말씀하셨다.
"우리는 여행하다 여행하다 목적지에 이르지요.
길은 끝나고 마지막 정류장에 도착합니다.
거기에서 더는 없습니다.
끝이지요. 우리 삶 속에서 무슨 일이 있었을까요?"
철학을 하는 듯 생각에 잠겨 이야기를 이어서 하셨다.

내게 아니라 혼잣말처럼 하셨지만, 호기심이 생겨 더 열심히 듣기 시작했다.

나는 누구신지 궁금했다. 어디로 여행하시냐고 여쭈었다.

어쩌다 가끔 내게 흥미를 느끼게 하는 사람들이 있다.

하지만 거의 누군지 알고 싶지는 않았다.

길에서 만나든 지하철에서 만나든, 내 생각과 느낌은 무엇을 생각하고 무엇을 느끼는지 알려고 하지 않았다.

내게 흥미가 없는 사람, 내가 알지 못하는 사람과는 말할 필요조차 없었다.

그러나 지금은 모르는 노인의 말을 듣고 있다.

첫마디 말부터 사람의 마음을 끌어당기는 힘이 있다고 확신한다.

말투가 화려하고 풍요로웠다.

때로는 속담과 오래된 고사성어를 사용하셨다.

'노인은 누구고 직업은 무엇일까?' 나는 머리를 굴렸다.

우리 인생에서 가장 중요한 것은 우리가 만나고, 함께 살며 일하는 사람들이다. 왜냐하면, 그들 모두 우리 영혼에 무언가를 남기기 때문이다.

누군가는 우리를 사랑하고, 우리 안에 있는 사랑을 일깨워 준다.

또 누군가는 현명하여 눈에 보이는 기적을 보여준다.

누군가는 재능이 있어 우리가 받은 복의 힘을 깨닫게 해준다.

누군가는 우리에게 아름다움을 알려 준다.

아름다운 황금빛 가을을 쳐다보았다.
그리고 창문을 바라보았다.
나뭇잎은 이미 기와처럼 붉고 밝은 갈색과 구릿빛 나는
누런 빛이 되었다.
큰길 건너편에 있는 들판은 푸르고 누런 모래 빛을 가진
갓 씻은 융단을 닮았다.
거기 산은 하늘처럼 파란빛으로 마치 투명한 커튼이 감
싸 안은 듯 보인다.
하늘은 깊고 짙은 파란빛이다. 때로 앞을 보는 것이 좋다.
우리는 우리를 둘러싼 모든 것들의 일부이기 때문이다.

"작년에 나는 70살이 되었어요.
오래전에 연금 수령자가 되었죠.
은퇴한 뒤 연금을 받으면서도 10년을 더 일했어요.
우리 마을 학교에서 역사를 가르쳤지요.
우리 마을은 크지 않지만, 여전히 학생이 있었죠.
지난가을 학교 교장이 나에게 말했어요.
'선생님,
학생이 많지 않아 다음에는 강의시간이 없을 겁니다.'
나는 교장 말을 알아들었지요.
학생이 부족하면 학교에 교사가 필요하지 않지요.
'알았어요. 나는 충분히 일했어요.'라고 대답했죠.
나는 연금 수령자입니다.
집에서 정원을 돌보고 책을 읽지만 이미 일하기는 쉽지

않아요.

세월과 외로움이 나를 짓누릅니다.

내 아내는 하나님이 용서하셨는지 6년 전에 세상을 떠났지요.

아내는 아름답고 쾌활한 여자였어요.

그러나 몸이 아파서 먼저 갔지요.

아들은 결혼해서 내게서 멀리 떨어진 어느 도시에 살고 있답니다.

나는 아들을 탓하지 않아요.

가족, 자녀를 돌보아야 하는 일 때문에 내게 신경을 쓸 수 없어요.

일 년에 몇 번 나를 만나러 온답니다.

때때로 우리는 전화로 이야기하지만, 통화내용은 주로 이와 같아요.

'아버지, 잘 지내세요?'

'응' 나는 대답했죠.

'우리 손자들과 며느리는 잘 지내니?'

'우리 모두 잘 지내요.' 끝이죠.

내 인생은 새처럼 날아갔어요.

언제라고 느낄 새도 없죠.

그것이 좋든 나쁘든 나는 몰라요.

좋은 날이고 나쁜 날이고, 검고 하얗죠.

모든 것을 만날 준비가 되어야 합니다.

그리고 내게 닥칠 모든 것을 맞으려고 준비했죠.

어느 날 때로 아침에 전화가 울렸어요.

아마도 아들인 벤코죠. 어쩌면 며느리 로자구요.

왜 아침 일찍 전화하지? 무슨 일이야?

보통 아들 내외는 통화 요금이 싼 저녁에 전화하거든요.

나는 수화기를 들었어요.

모르는 여자 목소리가 들렸어요.

'여보세요.'

'여보세요.' 누군지 알려고 애쓰며 대답했지만, 알 수 없었죠.

'저를 기억 못 하시죠?' 여자가 말했어요.

'그래요.' 하고 솔직하게 대답했지요.

'저는 포모리에 출신 베셀라 예요.'

'베셀라' 무의식적으로 따라 하면서 알아차렸어요.

베셀라, 벌써 몇 해가 지났는가?

나는 대학을 마치고 흑해 주변에 있는 포모리에 라는 도시에서 중학교 교사를 시작했지요.

나와 베셀라는 그곳에서 젊은 교사로 만나 서로 사랑의 불꽃을 피웠어요.

뜨겁게 사랑했지만 몇 년 후 나는 플로브디브 라는 도시로 전근 가고 베셀라는 포모리에 에 남았답니다.

나중에, 나는 결혼했고, 베셀라도 결혼하여 우리의 길은 갈라졌어요.

때때로 나는 베셀라, 나의 첫사랑을 생각했지요.

베셀라의 얼굴은 눈처럼 하얗고 눈은 올리브나무처럼 검

고 빛났어요.

나는 40년 이상 베셀라를 보지 못했답니다.

지금 전화로 '나 역시 연금 수령자가 됐어요.'라고 베셀라가 말했어요.

남편은 3년 전에 세상을 떠나고, 베셀라는 혼자 살고 있답니다.

이 한 번의 전화 통화 이후 우리는 자주 전화로 통화하기 시작했어요.

나는 바뀌었어요.

전화 소리가 또 울리고 베셀라의 목소리를 들을 때를 간절히 기다렸어요.

나는 놀랐어요.

나는 70살이지만 불같은 감정을 느꼈죠. 기적입니다.

왜 그렇게 감정적일까?

사람들은 나이가 들면 더 기쁨이나 슬픔을 느끼지 않으며 모든 것이 잿빛이며 일상이며 지루하다고 예상했어요. 그런데 그렇지 않았답니다.

베셀라와 전화 통화는 나를 기쁘게 했어요.

다시 내 주변의 아름다움을 알아채기 시작했지요.

아주 작은 사소한 것에도 나는 흥분했어요.

1년 동안 베셀라와 나는 전화로 이야기했어요.

몇 번 만나자고 베셀라가 제안했지요.

나는 두려웠답니다.

나는 그런 제안을 기대하지 않았죠.

베셀라 앞에 설 용기가 없었답니다.

40년 전 나는 젊고 검은 머리카락에 키가 컸어요.

지금 나는 구불구불한 잿빛 머리카락에 뚱뚱하죠.

베셀라는 꿈에서 깰 것이고 기적은 즉시 사라질 것입니다.

아름다운 추억과 낭만은 사라지겠죠.

지금 베셀라 역시 예전과 같지 않으리라 확신합니다.

하지만 나 스스로 불안했어요.

초라하고 힘없는 어떤 노인을 보도록 하고 싶지 않았죠.

베셀라가 강권하여 만나자고 해서 결국 그러자고 했답니다.

나는 준비하고 길을 떠났어요.

포모리에서 가까운 흑해 연안 부르가스 라는 도시에서 우리는 만나기로 했답니다.

베셀라를 알아차릴 수 없을 거라고 생각했지만 곧바로 알아차렸어요.

어쩌면 내 마음이 버스 정류장에서 나를 기다리고 있던 베셀라에게 알려준 듯합니다.

실제는 달랐지만 내 눈은 40년 전의 베셀라를 보았어요.

지금 나는 다시 만나러 간 것에 대해 후회하지 않아요.

내가 가지 않았다면 아직도 나를 사랑하고 있는 여자가 있었다는 사실을 몰랐을 것입니다.

우리가 만났을 때 베셀라는 곧 사랑의 불꽃을 내 속에 피웠어요.

누군가 나를 사랑한다고 느꼈을 때 얼마나 아름다운가?

누군가 당신에 대해 생각하고 마치 항상 당신과 함께 하는 것처럼 느낄 때, 그때 당신은 혼자가 아닙니다.
늦었을지라도 이런 것을 깨달았어요.
우리가 사랑할 때 아무것도 잃지 않지만, 우리 감정을 억압할 때 모든 것을 잃게 됩니다.
우리는 서로 모르지요." 노인이 말씀하셨다.
"내가 지금껏 이야기한 것을 용서해 줘요.
이런 일들은 평범하고 일상적이며 전혀 흥미롭지는 않지만, 누군가에게는 이야기해야 하죠.
아들에게는 말할 수 없어요.
나를 이해하지 못하고 심지어 내 말을 들을 시간조차 없을 거예요. 항상 일에 치여 바쁘거든요."

나는 내 옆에 앉아있는 노인을 바라보았다.
눈은 이상한 빛이 비친 것처럼 빛났다. 행복해 보였다.
버스는 계속 움직여 갔다. 큰길 건너편에 있는 들판은 푸르고 누런 모래 빛을 가진 갓 씻은 융단을 닮았다.

1. AŬTUNA RENKONTIĜO

Mi veturis buse. La veturado estis longa kaj enua. Ĉe mi sidis maljuna viro, eble sepdekjara, ne tre alta, iom dika kun griza haro kaj bluaj kiel monta lago okuloj. Li silentis, lia rigardo estis enreviĝa kaj li kvazaŭ sopiris pri io. Tute neatendite li alparolis min:

–Longa vojo, ĉu ne?

–Jes – tramurmuris mi.

Mi ne havis emon paroli, sed la viro daŭrigis. Verŝajne li enuis kaj deziris paroli kun iu kaj mi estis la plej proksime al li.

–La vivo similas al longa vojo – diris li. – Ni veturas, veturas kaj atingas la finon. La vojo finiĝas kaj venas la lasta haltejo. De tie ne estas plu. Fino. Kaj kio okazis dum nia vivo? Kion ni vidis? Kion ni faris?

Verŝajne li emis filozofi kaj daŭrigis voĉe mediti. La vortojn li ne direktis al mi, sed al si mem, tamen mia scivolemo vekiĝis kaj mi komencis pli atente aŭskulti lin. Mi demandis min kiu li estas, kien li veturas? Tre malofte la homoj interesis min, preskaŭ neniam mi deziris scii kiu estas la viro aŭ virino, kiujn mi vidas sur la strotoj aŭ kun kiuj mi veturas en la tramo, kion ili pensas, kion ili sentas. Ĉiam min obsedis miaj pensoj, miaj sentoj. Mi ne havis bezonon paroli kun nekonataj homoj, ili ne interesis min, sed nun io igis min aŭskulti la nekonatan viron ĉe mi. De liaj unuaj vortoj mi konstatis, ke li spertas alloge paroli. Lia parolstilo estis kolora kaj riĉa. De tempo al tempo li uzis proverbojn kaj malnovajn arkaikajn vortojn. Kiu li estas kaj kia estas lia profesio? – cerbumis mi.

-Dum nia tuta vivo – diris la viro – la plej gravaj estas la homoj, kiujn ni renkontas, kun kiuj ni vivas, laboras, ĉar ĉiu el ili lasis ion en niaj animoj. Iuj nin amis kaj vekis en ni la amon. Aliaj estis saĝaj kaj montris al ni nevideblajn miraklojn. Iuj estis talentaj kaj igis nin rimarki la benitan talenton. Iuj montris al ni la belecon. Rigardu la aŭtunon, la belan oran aŭtunon – kaj li rigardis al la fenestro. – La folioj de la arboj jam estas tegolruĝaj, helbrunaj kaj kuproorecaj. Sur la alia flanko de la ŝoseo la kampo similas al ĵus lavita tapiŝo kun verdaj kaj sabloflavaj koloroj, kaj tie, la monto estas helblua, kvazaŭ travidebla kurteno vualas ĝin. La ĉielo - profunda kaj lazura. Estus bone de tempo al tempo rigardi la foron, ĉar ni estas eroj de ĉio ĉirkaŭ ni.

Antaŭ jaro mi iĝis sepdekjara. Mi estas pensiulo, sed post la pensiiĝo mi laboris ankoraŭ dek jarojn. Mi instruis historion en nia vilaĝa lernejo. Nia vilaĝo ne estas granda, sed en ĝi ankoraŭ estas lernantoj. La pasintan aŭtunon la direktorino de la lernejo diris al mi: "Najdenov, la lernantoj jam estas malmultaj kaj dum tiu ĉi lernojaro por vi ne estos lernohoroj." Mi komprenis ŝin. Mankas lernantoj kaj la lernejo ne bezonas instruistojn. Bone – diris mi. – Sufiĉe mi laboris. Mi estas pensiulo. Hejme mi zorgas pri la ĝardeno, mi legas, sed mi jam pli malfacile laboras. La jaroj kaj la soleco premas min. Mia edzino, Dio absolvu ŝin, forpasis antaŭ ses jaroj. Ŝi estis bela, gaja virino, sed malsaniĝis kaj forpasis. Mia filo edziĝis kaj ekloĝis en alia urbo, malproksime de mi. Mi ne riproĉas lin. Li havas familion, infanojn, zorgojn kaj ne povas okupiĝi pri mi. Foje jare li venas vidi min. De tempo al tempo ni parolas telefone, sed la telefonkonversacioj estas unu samaj: Paĉjo, kiel vi fartas? Bone – respondas mi.– Kiel fartas la nepoj, viaj edzino? Ni ĉiuj bone fartas. Kaj fino.

Mia vivo forflugis kiel birdo kaj mi eĉ ne sentis kiam. Ĉu ĝi estis bona aŭ malbona – mi ne scias. Estis bonaj kaj malbonaj tagoj, nigraj kaj blankaj. La homo devas esti preta renkonti ĉion. Kaj mi preparis min akcepti ĉion kio venos, sed foje matene mia telefono eksonoris. Eble estas Venko – la filo – diris mi – aŭ eble Roza, lia edzino, sed kial ili telefonas frumatene? Kio okazis? Kutime ili telefonas vespere, kiam la telefonkonversacioj estas pli malmultekostaj. Mi levis la aŭskultilon kaj mi aŭdis nekonatan virinan voĉon. Saluton. Saluton – respondis mi, penante rekoni la virinan voĉon, sed vane.

–Vi ne rekonis min, ĉu ne? – diris ŝi.

–Jes – konfesis mi.

–Mi estas Vesela el Pomorie.

–Vesela··· – ripetis mi nevole kaj mi konsterniĝis. Vesela el Pomorie. Kiom da jaroj pasis? Kiam mi finis la universitaton, mi komencis instrui en la gimnazio en urbo Pomorie, ĉe la bordo de la Nigra Maro. Mi kaj Vesela estis junaj instruistoj tie kaj inter ni ekbrulis la fajro de la amo. Estis granda amo, sed post jaro mi iĝis instruisto en urbo Plovdiv kaj Vesela restis en Pomorie. Poste mi edziĝis, ŝi edziniĝis kaj niaj vojoj disiĝis. De tempo al tempo mi memoris Veselan kaj mian unuan amon. Ŝia vizaĝo estis blanka kiel neĝo, ŝiaj okuloj nigraj kaj brilaj kiel olivoj. Pli ol kvardek jaroj mi ne vidis ŝin. Nun telefone ŝi diris al mi, ke delonge estas pensiulino. Ŝia edzo forpasis antaŭ tri jaroj kaj nun ŝi loĝas sola.

Post tiu ĉi unua telefonkonversacio ni komencis ofte telefoni unu al alia kaj mi kvazaŭ ŝanĝiĝis. Mi senpacience atendis la momenton, kiam la telefono denove eksonoros kaj mi aŭdos ŝian voĉon. Mi miris. Mi estas sepdekjara, sed mi sentis fajran emocion. Mirakle! Kial mi estas tiel emociiĝita? Mi supozis, ke kiam homo maljuniĝas, li ne plu sentas ĝojon, nek triston kaj ĉio por li estas griza, ĉiutaga kaj enua. Tamen ne estis tiel. La telefonkonversacioj kun Vesela igis min feliĉa. Mi denove komencis rimarki la belecon ĉirkaŭ mi.

Eĉ la plej etaj detaloj impresis min.

Dum tuta jaro Vesela kaj mi konversaciis telefone. Foje ŝi proponis, ke ni renkontiĝu. Mi ektimis. Tian proponon mi ne atendis. Mi ne havis kuraĝon ekstari antaŭ ŝi. Antaŭ kvardek jaroj mi estis juna, alta kun nigra haro kaj nun mi estas dika, kurbiĝita kun griza haro. Ŝi senreviĝos kaj la miraklo tuj malaperos. Malaperos la belaj rememoroj kaj la romantiko. Mi konsciis, ke nun ŝi ankaŭ ne estas tia, kia ŝi estis, sed mi maltrankviliĝis pri mi mem. Mi ne deziris, ke ŝi vidu unu avon, kadukan, malfortan. Tamen Vesela insistis, ke ni renkontiĝu kaj fin-fine mi akceptis la proponon.

Mi preparis min kaj ekveturis. Ni decidis renkontiĝi en urbo Burgas ĉe la bordo de Nigra Maro, proksime al Pomorie. Mi certis, ke mi ne povus rekoni ŝin, sed mi tuj rekonis ŝin. Eble mia koro montris ŝin, kiu atendis min ĉe la bushaltejo. Vere ŝi aspektis alia, sed miaj okuloj vidis ŝin tia, kia ŝi estis antaŭ kvardek jaroj.

Nun mi ne bedaŭras, ke mi iris al tiu renkontiĝo. Se mi ne estus irinta, mi ne scius, ke ekzistas virino, kiu ankoraŭ amas min. Kiam ni renkontiĝis, Vesela tuj bruligis en mi la fajron de la amo. Estas bele, kiam vi ekscias, ke iu amas vin. Tiam vi ne estas sola, ĉar iu pensas pri vi kaj kvazaŭ ĉiam estas kun vi.

Malgraŭ malfrue, mi eksciis ankoraŭ ion: kiam ni amas, ni perdas nenion, sed ni perdas multon, kiam ni sufokas niajn sentojn.

Ni ne konas unu la alian — diris la viro - kaj pardonu min, ke mi rakontis tion al vi. Tiu ĉi historio estas ordinara, ĉiutaga kaj eble tute ne interesa, tamen mi devis rakonti ĝin al iu. Mi ne povas rakonti ĝin al mia filo. Li ne komprenos min kaj eĉ ne havos tempon aŭskulti min. Li estas tro okupata kaj ĉiam rapidas.

Mi alrigardis la viron, kiu sidis apud mi. Liaj okuloj brilis, kvazaŭ neordinara lumo radiis en ili. Li estis feliĉa. La aŭtobuso daŭre veturis. Sur la alia flanko de la ŝoseo la kampo similis al ĵus lavita tapiŝo kun verdaj, flavaj kaj orsablaj koloroj.

중국 주거 지역에 있는 미로

나는 독일주재 브라질대사관 부영사인 친구 마리오 데메네제스와 함께 기차로 여행했습니다.
우리는 갈라보보 시(市) 에스페란토 협회 회장인 친구 카뇨카네브의 70회 생일을 맞아 축하를 하고자 가고 있습니다.
기차가 가는 동안 우리는 이야기를 나눴습니다.
더 정확히 말하면 마리오는 말하고 나는 들었습니다.
영사로 있었던 일본, 독일, 니카라과에 대해 말했습니다.

"나는 여러 나라를 다니면서 특별한 경험을 했어.
내 삶에서 두려움을 느낀 적도 있지.
중국에서 일어난 일이야."

마리오는 잠시 멈추더니 생각에 잠긴 듯했습니다.
이야기하고자 하는 두려운 일이 다시 느껴지는지도 모르겠습니다.
기차는 숲을 지나갔습니다.
나무들은 가늘고 길어 바람에 기울어졌습니다.
하지만 가지들은 안으로 휘어져 있습니다.
지금은 가을이라 가지들은 꽃도 없이 앙상했습니다.

마치 강하게 붙잡고 있는 사람의 손과 같았습니다.

나무줄기는 크지 않았지만 가지는 길고 강하게 휘어져 있어 마치 서로 꼭 잡고 바람에 대항하는 듯했습니다.

마리오는 창문을 내다보았습니다.

처음 불가리아에 왔을 때 모든 것들이 흥미로웠습니다.

지금 이 순간 무슨 생각을 하는지 모르겠지만 마리오의 얼굴은 마치 어린아이처럼 호기심에 차 있습니다.

조금 이상하게 느껴졌습니다. 거의 70세가 되었지만, 키가 작아 어린아이를 닮았습니다.

갈색 얼굴로 흑인도 백인도 아닌 얼굴이지만 검고 밝은 눈동자에서는 작은 불꽃이 튀었습니다.

"중국은 이상한 나라야."

마리오는 말을 이으며 따뜻하고 편안한 눈으로 나를 쳐다보았습니다.

"나는 북경에서 가까운 도시인 탄셴에서 친구 리셴 집에 머물렀어. 우리 에스페란토 사용자는 전 세계에 많은 친구가 있잖아.

리셴은 나를 만나 외딴 주거 지역에 있는 자기 집으로 택시를 안내했어.

삶에서 처음으로 비슷비슷한 주거 지역을 보았지.

택시는 큰 문 앞에서 멈췄어.

리셴이 문을 열어 우리는 넓은 마당으로 들어섰지.

문 가까이에서부터 여러 갈래 길이 시작되었어.

길 양옆으로 서로 쌍둥이처럼 닮은 작은 집들이 늘어 서 있었어.

수많은 길 중에서 하나를 따라 100~200m 가자 리센의 집 앞에 이르렀지.

집에 들어서자 친구의 아내와 두 딸이 나를 환영하며 친절하게 맞아주었어.

아내는 곧바로 차를 마련했고 우리는 작은 방에 들어가서 이야기를 시작했지.

브라질, 중국, 에스페란토, 여러 나라의 친구들에 관해 이야기했어.

나는 많지 않은 여행에 대해 말했지.

리센은 역사 교사였으며 중국의 역사에 대해 자세히 설명해 주었어.

언제 저녁이 되었는지 알지 못할 정도였어.

나는 호텔로 돌아가야 했지.

리센은 주요 도로 끝 대문까지 나를 안내하고 택시를 세웠어. 우리는 서로에게 작별 인사를 나누고 나는 택시에 올랐지.

약 2km 정도 갔을 때 나는 리센의 집에 내 손가방을 두고 온 것이 갑자기 생각난 거야.

나는 작은 여행용 가방과 손가방을 가지고 다녔는데 손가방을 잊어버린 것이지.

나는 운전 기사에게 다시 돌아가자고 부탁했어.

기사는 택시를 돌려 큰 문 앞으로 나를 안내해 주었지.

택시에서 나와 문을 열자 넓은 마당이 나왔어.

이미 밤은 깊었지. 나는 주위를 둘러보고 리센의 집으로 가기 위해 어느 길로 가야 할지 망설였어.

사람이 어디에도 보이지 않았어. 몇 분 동안 서 있다가 마침내 거리 중 하나를 골라 나섰어.

가면서 주위를 둘러보았지. 모든 집은 매우 비슷했고 내 친구의 집을 찾을 수 없었어. 작은 집 앞에 멈추어 섰지. 쳐다보고 생각해 보고 리센의 집일까 살펴보았어.

리센과 처음 이곳에 왔을 때 무언가 생각나는 아주 작고 세밀한 부분까지 기억해 내려고 애썼지만 소용없었어.

내 삶에서 그렇게 서로 똑같은 집을 본 적이 없었으니까.

어느 집이 리센의 집이라 생각해 문에 가까이 가서 호출벨을 눌렀는데 개가 짖었어.

'아니구나.' 나는 속으로 말했지.

내 친구는 개가 없으니까 친구 집이 아니었구나.

길 위에서 자꾸 찾아다니다 점점 더 헷갈렸어.

리센의 집을 찾을 수도 없고 이 미로에서 벗어날 수도 없었어.

당황하여 어찌할 수 없었지.

아무도 살지 않은 것처럼 사람들이 보이지 않았거든.

갑자기, 인기척을 느끼고 그쪽으로 뛰어갔어.

가까이 갔을 때 어느 할머니를 만났지.

말을 걸려고 영어로 인사했지만, 할머니는 두려워하면서

서둘러 어느 집으로 몸을 숨겨버렸어.

나를 쳐다보지도 않고 말이야.

나는 길에 홀로 남겨졌으며 도움도 없이 희망도 없었어.

이 상황을 다시 한번 생각하기 위해 멈추었어.

헤매다가 지치고 땀도 나고 겁먹은 토끼의 심장처럼 가슴이 뛰었지.

수많은 거리가 있는 이 이상한 중국 주거 지역에서 작은 집들이 두 방울의 물처럼 서로 똑같기에 나는 완전히 혼자였어.

밤이 더욱 깊어져 어두워갔지.

공기는 습하고 무거웠어. 여기저기 희미한 가로등에 불이 들어왔지만, 희망이 없었어.

나는 무의식적으로 발을 돌리는데 두려움에 사로잡혔어.

몇몇 젊은이들이 나에게 다가왔거든.

곧 무언가 안 좋은 일이 일어날 것처럼 느꼈어.

어느 방향으로 가야 할지 모르면서 발걸음을 서둘렀어.

나는 거의 달리다시피 했지만, 젊은이들이 나를 따라잡았어.

그들 중 하나는 누르스름한 가로등 아래서 뱀처럼 빛나는 칼을 빼 들었어.

아마 길에서 갈 곳 몰라 헤매는 외국인이고 혼자라는 것을 알아차린 모양이야.

청년 중 한 명이 중국어로 무언가를 말했어.

본능적으로 내 돈을 원한다는 것을 깨달았지.

즉시 내 지갑을 꺼내 주려고 손을 주머니에 넣었어.
모든 것을 주려고 마음먹었지.
이 끔찍한 순간에도 나는 내 친구인 리센이 마술처럼 나타나 나를 구해주기를 바랐어.
그가 진정한 친구라면 내가 어려움에 부닥친 것을 느끼고 나를 구해줄 것이라고 믿었어.
나는 우정의 기적을 강하게 믿었거든.
나는 그 생각을 그에게 전달하고, 그의 마음속에서 내가 위험에 처해있다고 이 순간에 반드시 느끼게 되리라고 생각하며 바랐어.
정말 기적이 일어났어. 길 끝에서 어느 남자가 나타났어.
젊은이들이 뛰어 도망쳤지.
그 남자는 재빨리 다가왔어.
내 눈은 믿을 수 없었어. 그 남자는 리센이었거든.
정말로 내게 뭔가 무서운 일이 생겼으리라 느끼고 나를 도와주러 온 거야.
오늘조차 내가 어떻게 생각으로 내 친구를 부르고 위험하고 끔찍한 순간에서 나를 도와달라고 해서 성공했는지 설명할 수 없어."

마리오는 잠시 말을 멈추고 창문 밖을 내다보았습니다.
아마도 나무의 엉킨 나뭇가지를 관찰했을 것입니다.
바람과 폭풍에 견딜 수 있도록 서로 강하게 붙잡고 있어서 사람의 팔과 닮아 보입니다.

2. LABIRINTO EN ĈINA LOĜKVARTALO

Mi veturis per vagonaro kun mia amiko Mario De Menezes, vickonsulo de Brazilo en Germanio. Ni ĉeestis en la festo, okaze de la sepdekjara jubileo de nia amiko Kanjo Kanev - prezidanto de Esperanto-societo en urbo Galabovo. La vagonaro veturis kaj ni konversaciis. Pli ĝuste Mario parolis - mi aŭskultis. Li rakontis pri la landoj, en kiuj estis konsulo - Japanio, Germanio, Nikaragvo. Per intereso mi aŭskultis lin kaj imagis tiujn ekzotikajn forajn landojn.

-Mi estis en diversaj landoj kaj spertis neordinarajn travivaĵojn - rakontis Mario, - sed foje en mia vivo, mi travivis teruron. Tio okazis en Ĉinio.

Mario eksilentis, kvazaŭ li enpensiĝis aŭ eble li denove eksentis la teruron pri kiu li deziris rakonti.

La vagonaro veturis tra arbaro. La arboj estis

maldikaj, altaj, klinitaj verŝajne pro la ventoj, sed iliaj branĉoj estis enplektitaj. Nun, aŭtune, la branĉoj estis nudaj, sen folioj, kaj similis al homaj brakoj, tenitaj forte unu la alian. La arbotrunkoj ne estis grandaj, sed la branĉoj estis longaj kaj tiel forte enplektitaj, kvazaŭ tenis sin kaj kontraŭstaris al la ventoj. Mario same rigardis tra la fenestro. Unuan fojon li estis en Bulgario kaj ĉio ĉi tie vekis lian intereson. Mi ne sciis pri kio li meditis en ĉi momento, sed lia vizaĝo esprimis scivolemon kiel ĉe infanoj. Laŭ mi Mario aspektis iom strange. Malalta li similis al knabo, malgraŭ ke estis preskaŭ sepdek jara. Lia vizaĝo brunis, vizaĝo de mulato, kaj en liaj nigraj brilaj okuloj ludis flametoj.

-Ĉinio estas neordinara lando — daŭrigis Mario kaj alrigardis min per siaj varmaj bonaj okuloj. — Mi gastis al mia amiko Li Ŝen en Tan Sen, urbo proksima al Pekino. Ni, la esperantistoj, havas multajn amikojn en la tuta mondo. Li Ŝen renkontis min kaj per taksio ni veturis al lia hejmo en malproksima loĝkvartalo. Unuan fojon en la vivo mi vidis similan loĝkvartalon.

La taksio haltis antaŭ granda pordo. Li Ŝen

malfermis la pordon kaj ni eniris vastan korton. De placo, proksime al la pordo, komenciĝis multaj stratoj kaj sur la du flankoj de la stratoj viciĝis dometoj, kiuj similis unu al alia kiel ĝemeloj. Ni ekiris sur unu el la stratoj kaj post cent aŭ ducent metroj ekstaris antaŭ la domo de Li Ŝen. Ni eniris. La edzino kaj du filinoj de mia amiko bonvenigis min kore kaj afable. La edzino tuj preparis teon kaj mi kun Li Ŝen eniris etan ĉambron kaj komencis konversacii. Ni parolis pri Brazilo, Ĉinio, Esperanto, pri niaj amikoj el diversaj landoj. Mi rakontis pri miaj multnombraj veturadoj. Li Ŝen estis instruisto pri historio kaj detale klarigis al mi la historion de Ĉinio. Mi ne eksentis kiam komencis vesperiĝi. Mi devis reveni en la hotelon. Li Ŝen akompanis min al la granda pordo ĝis la ĉefa strato kaj haltigis taksion. Ni adiaŭis unu la alian kaj mi eniris la taksion. Eble mi veturis du kilometrojn kaj subite konstatis, ke mi estis forgesinta mian tekon en la domo de Li Ŝen. Mi portis valizeton kaj tekon, sed evidentiĝis, ke la tekon mi forgesis. Mi petis la ŝoforon, ke ni revenu. Li revenigis la taksion kaj lasis min antaŭ la granda pordo.

Mi eliris el la aŭto, malfermis la pordon kaj eniris la vastan korton. Jam tute vesperiĝis. Mi ĉirkaŭrigardis kaj hezitis sur kiun straton mi ekiru por atingi la domon de Li Ŝen. Nenie videblis homo. Kelkajn minutojn mi staris, fin-fine elektis unu el la stratoj kaj ekiris. Mi iris kaj ĉirkaŭrigardis. Ĉiuj domoj estis ege similaj kaj mi ne rekonis la domon de mia amiko. Antaŭ dometo mi haltis, rigardis, meditis kaj mi provis diveni ĉu ĝi estas la loĝejo de Li Ŝen. Mi provis rememori iujn detalojn, kiujn eble mi rimarkis, kiam mi estis ĉi tie kun Li Ŝen, sed vane. Neniam en mia vivo mi vidis domojn tiel similajn unu al alia.

Iu domo ŝajnis al mi, ke estas la domo de Li Ŝen kaj mi proksimiĝis al la pordo, sed antaŭ premi la butonon de la sonorilo, en la domo ekbojis hundo. Ne – diris mi – tio ne estas la loĝejo de mia amiko, li ne havis hundon. Mi daŭrigis sur la stratoj kaj pli kaj pli mi konfuziĝis. Mi ne trovis la domon de Li Ŝen kaj jam ne povis eliri el tiu ĉi labirinto. Mi estis konfuzita kaj ne sciis kion fari. Nenie videblis homoj, kvazaŭ neniu loĝis ĉi tie. Subite mi rimarkis homan silueton kaj ekrapidis al ĝi. Kiam mi proksimiĝis, vidis maljunulinon. Mi provis alparoli ŝin, salutis ŝin angle, sed la maljunulino ektimiĝis kaj rapide kaŝis sin en iun el la domoj. Ŝi eĉ ne alrigardis min.

Mi restis sola sur la strato, senhelpa, senrevita. Mi haltis por pripensi la situacion. De la vagado mi lacis, ŝvitis kaj mia koro batis kiel la koro de timigita leporo. En tiu ĉi stranga ĉina loĝkvartalo kun sennombraj stratoj kaj dometoj, similaj unu al alia kiel du akvaj gutoj mi estis tute sola. La nokto kvazaŭ iĝis pli obskura kaj ŝajnis al mi, ke mi iras en inko. La aero mucidis kaj pezis. Ie-tie lumis palaj strataj lampoj, sed ili ne donis al mi esperon. Nevole mi turnis min kaj teruro min obsedis. Kelkaj junuloj rapide proksimiĝis al mi. Tuj mi eksentis, ke okazos io malbona. Mi provis rapidigi miajn paŝojn, malgraŭ ke mi ne sciis en kiun direkton mi iras. Preskaŭ mi ekkuris, sed la junuloj atingis min. Unu el ili montris tranĉilon, kiu ekbrilis kiel serpento ĉe la limona strata lumo. Eble la junuloj rimarkis, ke mi vagas sencele tra la stratoj kaj mi estas fremdulo, sola. Unu el la junuloj diris ion ĉine. Intuicie mi komprenis, ke li deziras mian monon. Tuj mi metis manon en la pošon por elpreni kaj doni al li mian monujon. Mi pretis doni ĉion al ili kaj en ĉi terura momento mi ekdeziris nur, ke mia amiko, Li Ŝen, aperu iel magie kaj savu min. Profunde mi kredis, ke se li estas vera amiko, li nepre eksentos, ke mi estas en danĝero kaj savos min. Forte mi kredis en la miraklo de la amikeco. Mi esperis, ke pensante, mi transdonos miajn pensojn al li kaj ĉi momente li nepre eksentos, ke mi estas en danĝero.

Kaj ho miraklo! Je la fino de la strato aperis viro. La junuloj forkuris. La viro rapide proksimiĝis kaj mi ne deziris kredi al miaj okuloj. Li estis Li Ŝen. Li vere eksentis, ke io terura okazas al mi kaj li venis helpi min. Eĉ hodiaŭ mi ne povas klarigi kiel mi sukcesis per la pensoj alvoki mian amikon helpi min en la danĝera terura momento.

Mario eksilentis kaj alrigardis eksteren tra la fenestro. Li verŝajne observis la enplektitajn branĉojn de la arboj, kiuj similis al homaj brakoj, teninte forte unu la alian por kontraŭstari al la ventoj kaj ŝtormoj.

의사

장대비가 더욱 세차게 내립니다.
인정사정없이 창문을 두드립니다.
많은 뱀처럼 물줄기가 유리 위로 줄지어 흘러내립니다.
틸리오의 촌장인 카로브는 창가에서 밖을 쳐다 봅니다.
하지만 지금은 아무것도 보이지 않습니다.
마치 방에 있지 않은 것처럼 차가운 3월의 비 아래서 머리부터 발끝까지 많이 젖었습니다.
카로브는 너무 힘들게 보냈습니다.
오늘은 힘든 날입니다.
책상에 주지사가 보낸 편지가 놓여있습니다.
스토얀 페트로브 바라디노브가 지금 틸리오에 살고 있으니 그의 인적사항을 조사하여 의사가 맞는지 확인하라는 명령이 적혀 있습니다.

카로브는 언제 바라디노브가 틸리오에 왔는지 기억이 안 납니다.
아마 3~4년 전일 것입니다.
마을에 의사가 나타났다고 사람들이 말했습니다.

조금 이상해 보였습니다.

40대로 보이는 알 수 없는 남자가 가족도 없이 혼자 살기 위해 먼 숙모의 집이라고 이런 작은 산골 마을에 들어와서는 스스로 의사라고 말했습니다.

처음에 마을 사람들은 의심스럽고 궁금했습니다.

누구며 어떤 사람이고 왜 이런 외진 마을에 왔는지 더 알아내려고 했지만, 차츰 의심과 호기심은 조용히 내리는 여름 이슬비 아래 불이 꺼지듯 사라졌습니다.

아마도 바라디노브 스스로 말했듯이 몇 년 동안 해외에서 일했고, 아내와 자녀들도 있었지만 이혼하여 도시의 주택을 아내와 자녀들에게 남겨준 뒤, 꿈도 없어져 나이든 숙모의 집에 살려고 들어 왔다는 것입니다.

마을 사람들은 바라디노브를 더 잘 알기 시작했고 의사라고 부르며, 의사가 마을에 있다고 만족했습니다.

오랫동안 틸리오에는 의사나 간호사가 없어서 바라디노브가 오기 전에는 모두 1시간 30분이나 차를 타고 도시 병원으로 가야 했습니다.

바라디노브는 마을 사람들과 함께 오래되고 버려진 집을 병원으로 새로 고쳤습니다.

지붕에는 새가 둥지를 틀고 넓고 거의 못쓰게 된 방에는 집 없는 고양이들이 뛰어다녔습니다.

손수 문, 창문을 고쳤고 벽을 칠하고 두 방에 하얀 침대, 책상, 의자, 다목적 유리 선반, 여러 가지 요리도구와 의료 기구 보관함을 두었습니다.

그리고 환자들을 받기 시작했습니다.

진료를 잘 한다는 소문이 신선한 봄바람처럼 빠르게 마을 전체에 퍼져 어린 자녀를 둔 어머니들이 의사의 집을 자주 찾았습니다.

바라디노브의 작은 집 앞에는 매일 남녀 환자들이 줄지어 기다렸습니다.

바라디노브는 열심히 듣고 자세히 물었습니다.

마을 사람들은 너무 익숙해져 종종 집에 밤늦게까지 찾아왔습니다.

길에서도 만나면 세워놓고 여러 병에 관해 물었습니다.

고통을 호소하고 조언을 청하기도 했습니다.

바라디노브는 듣고 약을 처방하고 종종 환자가 사는 곳을 찾아갔습니다.

모두가 친밀하게 여기고 남녀노인들은 아들같이 여기고 이야기를 나누었습니다.

자주 할머니가 말했습니다.

"스토야초는 여전히 젊으니 결혼해야죠.

좋은 직업에 여기 살 곳도 있으니 이제 필요한 것은 아내뿐이죠.

틸리오에 얼마나 많은 아가씨가 있는지 보세요.

도시 여자는 그만두고 지나간 일은 잊고 아직 인생이 남았잖아요."

그렇게 할머니가 말하면 단지 웃기만 하고 부드러운 비둘기 눈이 반짝반짝 웃으며 동의한다는 듯 고개를 끄덕였습니다.

촌장인 카로브 역시 바라디노브와 이야기하는 것을 좋아했습니다.

때때로 카로브는 건강이 좋지 않아 병원을 찾았습니다.

카로브는 그 일을 결코 잊지 못할 것입니다.

아직 촌장이 아니었던 2년 전 일입니다.

하루에 여러 번 코에서 피가 갑자기 흘러나왔습니다.

카로브는 무슨 까닭인지 몰라 바라디노브에게 갔습니다.

"의사 선생님, 내 혈압이 높아져서 안 좋아 보입니다."
하고 카로브가 물었습니다.

자세히 살펴본 뒤에 바라디노브가 "아니요"라고 대답했습니다.

"혈압은 정상이지만 혈관이 약해졌습니다."
바라디노브는 약을 처방했고 카로브는 약을 사러 도시로 갔습니다.

하지만 먼저 다른 의사에게 진찰받기로 했습니다.

도시의 의사가 같은 약을 처방한 것에 매우 놀랐습니다.

그 이후 카로브는 바라디노브를 존경했습니다.

그들은 친구가 아니었지만 필요할 때는 언제나 도와줄 것이라는 사실을 알고 있었습니다.

카로브는 여전히 창문 밖을 보고 있습니다.

비는 그치지 않습니다.

창문 유리를 더 세게 사납게 때립니다.

삼월의 바람은 창문 앞에서 자라는 두 자작나무의 가지를 구부립니다.

그 길고 앙상한 가지들은 하늘 향해 애절하게 뻗고 있는 하얀 팔을 닮았습니다.

이 가지들이 카로브에게 무언가를 상기시켜 주었지만, 정확히 무엇인지 생각나지 않습니다.

꽤 오랫동안 창문 앞에 움직이지 않고 서 있습니다.

손을 뻗어 웃옷을 들고, 모자를 쓰고 지방 정부에서 받은 편지에 대해 바라디노브에게 물어보러 가야 했습니다.

카로브는 혼잣말로 '바라디노브가 정말로 의사가 아닙니까?' 하고 물었습니다.

웃옷을 입고 모자를 쓰고 문을 열었습니다.

비가 세차게 몰아쳤습니다.

얼굴은 즉시 물에 젖고 빗줄기는 코와 뺨을 스치며 흐르기 시작했습니다.

갑자기 머릿속으로 어떤 그림이 스며들었습니다.

심한 폭우, 세찬 바람에 휘어져 하늘로 애원하듯 뻗은 자작나무 가지들이 그림을 기억나게 했습니다.

지난해 5월, 비 오는 밤, 틸리오 앞 공동묘지 앞에서 끔찍한 사고가 일어났습니다.

4명의 젊은이가 도시에서 놀다가 술에 취한 채 차를 몰고 돌아왔습니다.

마을 입구에 와서 차가 미끄러져 길가 나무를 들이받았

습니다.

그리고 계곡으로 차가 넘어갔습니다.

한밤중에 사람들이 카로브를 깨웠습니다.

즉시 바라디노브를 깨우라고 말했습니다.

바라디노브는 빗속에서 맨발로 잠옷만을 걸친 채 뛰어왔습니다.

바라디노브 덕분에 젊은이 둘이 살았습니다.

그때 빗속에서 나는 바라디노브에게 '당신의 의사 학위를 볼 수 있습니까?'라고 왜 말하지 않았던가?

당시 상처를 입은 젊은이들을 왜 도와달라고 했는가 카로브는 스스로 물었습니다.

그때 바라디노브는 맨발로 잠옷만을 걸친 채 왔고, 나는 단지 '의사 선생님. 도와주세요.'라고 말했습니다.

바라디노브는 곧바로 상처를 싸매기 시작했고 피 흐르는 것을 막았습니다.

지금 내가 바라디노브에게 의사 면허증을 보여달라고 부탁해야 합니까?

카로브는 멈췄습니다. 잠시 빗속에서 움직이지 않고 서 있다가 천천히 몸을 돌려 읍장 사무실로 돌아갑니다.

3. DOKTORO

La pluvego plifortiĝis, senkompate ĝi vipis la fenestron kaj la akvaj strioj kiel sennombraj serpentoj rapide fluis unu post alia sur la vitroj. Karov – la vilaĝestro de Tilio staris ĉe la fenestro kaj rigardis ekstere, sed en ĉi momento li nenion vidis. Kvazaŭ li estis ne en la ĉambro, sed sub la malvarma marta pluvo, kiu kruele malsekigis lin de kapo ĝis piedoj. Ege malbone Karov fartis. Hodiaŭ estis malfacila tago. Sur lia skribotablo kuŝis letero, sendita de la gubernatoro, en kiu oni ordonis, ke Karov esploru la personecon de Stojan Petrov Varadinov, kiu nun loĝas en Tilio kaj prezentas sin kuracisto.

Karov ne memoris, kiam Varadinov venis en Tilion. Eble antaŭ tri aŭ kvar jaroj. Tiam oni diris, ke en la vilaĝo aperis kuracisto kaj tio ŝajnis iom stranga. Ĉirkaŭ kvardek jara nekonata viro venis loĝi sola, sen familio, en domo de sia fora onklino, en tiu ĉi eta montara vilaĝo kaj li diris, ke estas kuracisto.

Komence la vilaĝanoj, suspektemaj kaj scivolemaj, provis pli detale ekscii kiu kaj kia estas la kuracisto, kial li venis en ilian dezertan vilaĝon, sed iom post iom ilia suspektemo kaj scivolemo estingiĝis kiel fajro sub kvieta somera pluvo. Iu, aŭ eble Varadinov mem menciis, ke dum longaj jaroj li laboris eksterlande, ke li havis edzinon kaj infanojn, sed li divorcis, forlasis la urban loĝejon al la edzino kaj la infanoj kaj senrevita li venis ekloĝi ĉi tie, ĉe sia maljuna onklino.

La vilaĝanoj komencis pli bone ekkoni Varadinov, nomis lin doktoro kaj ili kontentis, ke en ilia vilaĝo jam estas kuracisto. Delonge en Tilio ne estis nek kuracisto, nek flegistino kaj antaŭ lia alveno ĉiuj iris en la urban malsanulejon, veturantaj pli ol horon kaj duonon.

Varadinov kune kun la vilaĝanoj renovigis la malnovan, forlasitan kuracdomon, en kies subtegmento nestis birdoj kaj senhejmaj katoj vagis en la malplenaj, preskaŭ detruitaj ĉambroj. Li mem riparis la pordon, la fenestrojn, farbis la murojn, metis en du ĉambroj blankajn litojn,

- 41 -

skribotablon, seĝojn, vitran ŝrankon kun diversaj kuraciloj kaj medicinaj iloj, kaj li komencis akcepti malsanulojn. La famo, ke li estas bona diagnostikisto rapide disvastiĝis tra tuta vilaĝo kiel freŝa printempa alblovo, kaj plej ofte en la kuracdomon venis patrinoj kun etaj infanoj. Ĉiutage antaŭ la kabineto de Varadinov atendis aro de gemaljunuloj. Varadinov atente aŭskultis ilin kaj detale kuracesploris ĉiujn. La vilaĝanoj tiel alkutimiĝis al li, ke ofte ili serĉis lin malfrue nokte en la domo, kie li loĝis, aŭ ili haltigis lin surstrate kaj demandis lin pri diversaj malsanoj, konfesis al li siajn suferojn aŭ petis de li konsilojn. Varadinov aŭskultis ilin, preskribis kuracilojn kaj ofte oftege li vizitis la malsanulojn en la loĝejoj. Ĉiuj sentis lin tre proksima kaj la gemaljunuloj konversaciis kun li kiel kun filo.

- Stojaĉo, - ofte diris al li la maljunulinoj – vi ankoraŭ estas juna kaj devas edziĝi. Vi havas bonan profesion, loĝejon ĉi tie, nur edzinon vi bezonas. Vidu kiom da belaj junulinoj estas en Tilio. Lasu la urbajn virinojn. Kio okazis, okazis. La vivo estas antaŭ vi.

Tiel parolis la maljunulinoj al Varadinov kaj li nur

ridetis, liaj molaj kolombaj okuloj brilis kaj li kapjesis kvazaŭ li konsentis kun ili.

Karov – la vilaĝestro ankaŭ ŝatis konversacii kun Varadinov. Foje Karov ne fartis bone kaj vizitis lin en la kuracdomo. Tion Karov neniam forgesos. Okazis antaŭ du jaroj, li ankoraŭ ne estis vilaĝestro. Plurfoje tage de lia nazo subite fluis sango. Karov ne komprenis kia estas la kialo kaj iris al Varadinov.

– Doktoro, – demandis Karov – eble mia sangopremo altiĝis kaj pro tio mi ne fartas bone?

– Ne – respondis Varadinov post detala kuracesploro. – Via sangopremo estas normala, sed viaj vejnoj malfortiĝis.

Varadinov preskribis kuracilojn kaj Karov iris en la urbon por aĉeti ilin, tamen antaŭe li decidis konsulti alian kuraciston. Lia miro estis granda kiam la urba doktoro preskribis la samajn kuracilojn. De tiam Karov estimis Varadinov. Ili ne estis amikoj, sed Karov sciis, ke ĉiam, kiam necesos, Varadinov helpos.

Nun Karov daŭre rigardis tra la fenestro. La pluvo ne ĉesis. Ĝi pli forte kaj pli furioze batis la fenestran vitron. La marta vento fleksis la brančojn de la du betuloj, kiuj kreskis antaŭ la fenestro. Iliaj longaj nudaj brančoj similis al blankaj brakoj, etenditaj peteme al la ĉielo. Tiuj ĉi brančoj memorigis ion al Karov, sed nun li ne povis diveni kion ĝuste. Sufiĉe longe li staris senmova antaŭ la fenestro. Li devis nur etendi manon al hokaro, preni la jakon, surmeti la kaskedon kaj iri al la kuracdomo por serĉi Varadinov kaj diri al li pri la letero, kiun li ricevis de la regiona administrejo.

Ĉu Varadinov vere ne estas kuracisto? –demandis sin Karov. Li surmetis la jakon kaj la kaskedon, eliris kaj ŝlosis la pordon. La pluvo kruele ekvipis lin. Lia vizaĝo tuj malsekiĝis kaj la akvaj strioj komencis flui sur lian nazon kaj vangojn. Subite el lia konscio elnaĝis la bildo, kiun memorigis al li la torenta pluvo kaj la etenditaj peteme al la ĉielo betulaj brančoj, kiujn la vento senkompate fleksis.

Pasintjare en majo, en pluva nokto, antaŭ Tilio, ĉe la tombejo, okazis terura katastrofo. Kvar junuloj revenis aŭte de la urbo, kie ili amuziĝis kaj drinkis. Ĵus, antaŭ la eniro en la vilaĝon, la aŭto glitis, karambolis en ĉevoja arbo kaj poste la aŭto renversiĝis en la ravinon. Noktomeze oni vekis Karov. Li tuj ekiris kaj diris, ke oni veku ankaŭ Varadinov. Varadinov alkuris en la pluvo nudpieda, surhavanta nur ĉemizon. Dank' al Varadinov du el la junuloj estis savitaj.

"Kial tiam, en la pluvo, mi ne diris al Varadinov, donu ke mi vidu vian kuracistan diplomon? Kial tiam mi ne malpermesis al li helpi la vunditajn knabojn – demandis sin mem Karov. – Tiam Varadinov venis nudpieda, surhavanta nur ĉemizon kaj mi diris al li nur, doktoro, helpu. Li tuj komencis bandiĝi la vundojn kaj haltigi la sangofluon. Ĉu nun mi devas peti de li diplomon?"

Karov haltis. Li restis iom da tempo senmova sub la pluvo, poste malrapide li turnis sin kaj revenis en la vilaĝestran oficejon.

맥줏집 '두 선원'

저녁 8시입니다. 낮이 가고 저녁이 옵니다.

이 순간을 붙잡을 수는 없습니다.

눈치챌 수 없게 빠르게 다가옵니다.

마술 같은 순간입니다. 여러 차례 그 순간을 느껴보려 했지만, 결코 성공하지 못했습니다.

아마 우리는 모두 잡을 수 없는 것을 잡으려고 바란 적이 있습니다.

정말 우리 삶은 잡을 수 없는 순간들의 연속입니다.

우리는 언제 남자가 되고 어느 때에 사랑에 빠지고, 언제 늙기 시작되는지 느낄 수 있을까요?

지금 나는 플라멘과 '두 선원'이라는 이상한 이름의 맥줏집에 앉아있습니다.

이 '두 선원'이라는 특별한 이름은 맥줏집 주인의 퍼뜩 떠오른 생각인지 아니면 어떤 추억과 관계있는지 모르겠습니다.

정말로 주인은 선원이었습니다.

그 맥줏집은 바다 공원에서 가깝고 여름에 많은 사람이 그 앞을 지나쳤습니다.

겨울에는 그곳이 그 도시에서 가장 조용하고 고요한 거리였습니다.

여름의 낮과 저녁 사이에 이곳에는 남자들, 여인들, 아이들이 지나다니지만, 플라멘과 나에게는 오직 아름다운 젊은 여인들만 눈에 띕니다.

여름 저녁에는 이곳에 있는 것이 좋습니다.

우리는 맥줏집에 앉아 아름다운 여인들을 바라봅니다. 믿을 수 없을 정도로, 그렇게 많은 젊은 여인들이 이곳을 지나갑니다.

맥주는 예전의 아름다운 추억처럼 바다에서 불어오는 바람처럼 차갑고 맛있습니다.

젊은 여인들은 옷을 반쯤 벗은 채로 부드럽고 투명한 외투에 주름진 치마를 입고, 몸은 태양에 그을려 흙빛이며 모험과 사랑에 목마른 눈을 가진 용감한 아마존의 여전사를 닮았습니다.

플라멘은 무언가를 기억합니다. 그 사람은 말하기를 좋아하고 나는 말 듣기를 좋아합니다.

플라멘은 예쁘게 이야기를 들려주었고 나는 현실에서 허구로, 진실에서 환상으로 언제 갔는지 그 순간을 잡을 수가 없습니다. 나는 플라멘의 어두운 집시 눈을 바라보고 삶 속에서 닥치는 모든 문제를 어찌 그렇게 쉽게 해결했는지 이해할 수가 없습니다.

지금 플라멘은 바르나 도시에서 가장 부자 중의 하나지만 그 사실을 아는 사람은 적습니다.

벨린그라드 도시에 가구판매장, 호텔, 주택, 가구 공장을 가지고 있습니다.

내 사촌 여동생이 플라멘의 아내였지만 오래전에 이혼했습니다. 지금 여동생은 소피아에서 살고 플라멘은 이곳 바르나에서 살고 있습니다.

플라멘이 이야기를 시작합니다.

소피아에서 제가 태어난 집에 저와 동갑인 소녀가 살았는데 매우 예뻤고 이름은 나탈리아였습니다.

나탈리아가 너무 맘에 들어 모든 것을 준비했지만, 나탈리아는 제게 전혀 관심이 없었습니다.

나탈리아는 부지런한 학생이었지만 불량 학생이었던 저는 단지 가끔 학교에 갔습니다.

저는 언젠가 나탈리아가 제게 관심을 두게 만들어 저를 좋아하게 만들 무언가 큰일을 반드시 저지를 것이라고 스스로 다짐했지만, 그때 우리 둘은 4학년에 다니는 어린이에 불과했습니다.

제가 이미 말 한 적이 있지만, 초등학교 1학년 때 우리 부모님은 이혼하셨습니다.

지금도 저는 왜 부모님이 이혼했는지 말할 수 없습니다. 제 아버지는 유명한 외과 의사였고, 어머니는 법학 교수였지만 두 분 모두 저를 원하지 않아, 소피아 시내 중심에 커다란 집을 가진 아버지의 어머니, 할머니랑 살았습니다.

그 집은 넓은 마당이 있는 이층집이었는데 거기에 나탈리아가 살았습니다.

저는 나탈리아의 긴 금발 머리와 끝없이 깊은 호수를 닮은 두 개의 푸른 눈망울을 잊을 수 없습니다.

키는 크지 않았고 마치 누렇고 조그마한 구름이 하늘을 헤엄치는 듯 걸었습니다.

할머니는 저를 잘 돌봐주셨으며, 할아버지는 오래전에 돌아가셨습니다.

할머니는 제가 잘 자라도록 모든 것을 다하셨습니다.

인제야 학교에 다니지 않으려는 장난꾸러기 고아를 보살피는 일이 얼마나 어려운지 이해하였습니다.

선생님들은 화를 내셨고, 자주 할머니를 학교로 부르셨지만, 할머니가 어떻게 하겠습니까.

저는 나탈리아를 향한 환상에 사로잡혀 있었고, 공부도 하지 않고 앞으로의 일에 대해서는 전혀 관심이 없었습니다. 제가 훌륭한 사람이 될 것인지 아닌지를 말입니다. 그런데 갑자기 할머니가 돌아가시고 저는 유일한 상속자가 되었습니다. 여러 세입자가 세 들어 살고 있고 차고가 달린 넓은 마당을 가진 두 채의 큰 집을 상속받았습니다.

이미 7학년이었고 할머니를 장사 지냈을 때, 완전히 홀로 남았음을 알게 되었고 할머니께서 물려주신 모든 재산에 대해 관리를 해야만 했습니다.

저는 쭉 혼자 살았습니다.

우리 부모님은 제게 관심이 없었고 어머니, 아버지도 새 가정을 꾸리고 있었습니다.

우리 집에 세 들어 사는 사람들은 규칙적으로 임대료를 지급했습니다. 그들 중에 몇몇은 저를 불쌍하게 여겼지만 저는 이미 다 큰 어른이 되어있었습니다.

호주머니에는 언제나 돈이 있었고 그 많은 돈으로 무엇을 할 것인지도 몰랐습니다.

그때 인생에서 가장 중요한 것이 돈이라는 것을 알게 되었습니다.

인생을 다른 시각으로 보기 시작했습니다.

가끔 아버지가 오셨지만 돈이 부족하지 않기에, 집세를 정기적으로 모으는지 아닌지 전혀 관심이 없었습니다.

그때 이미 저는 충분히 실력 있는 임대인이었습니다.

어느 날 사과 빛깔 머리를 한 어떤 키 작은 남자가 왔습니다.

집에 차고와 마당이 있느냐고 물었습니다.

저는 자랑스럽게 "예"라고 대답했습니다.

그 사람은 의자 방석 제작자로 의자 방석 작업을 위해 차고에 세 들겠다고 했습니다.

전 좋다고 말했습니다.

저는 이미 모든 방을 임대하는 데 성공했고, 심지어 할머니께서 임대하시지 못했던 방까지 임대했고 단지 차고에만 세입자가 없었습니다.

그때 그 남자가 나타났습니다.

그 의자 방석 제작자는 차고를 긴 의자, 안락의자, 보통 의자로 채우고선 일을 시작했습니다.

비가 오지 않을 때는 마당에서 일하였습니다.

가끔 심심해서 어떻게 의자 방석을 만드는지 살피게 되었고 대화도 나누었습니다.

한번은 그 사람이 제게 물었습니다.

"너도 의자 방석 제작자가 되고 싶니?"

"왜요?" 저는 웃기만 했습니다.

"아마 언젠가 이 기술이 네게 유용하게 쓰일 거야."

그리 많은 시간이 지나지 않아, 저는 스스로 물었습니다.

'왜 의자 방석 기술을 배우지 않지.'

"제가 도와줄게요." 하고 의자 방석 기술자에게 말하고서 저는 함께 일하기 시작했습니다.

곧 저는 이 수공업이 마음에 들 것이라고 확신했습니다.

저는 빠르게 일을 배워나갔고 잘 만들기 시작했습니다.

의자 방석 기술자는 매우 실력 있는 수공업자라 주문이 넘쳐 모두 만족시키지 못 하는 일이 가끔 발생했습니다.

그 당시 나라에는 아직 개인 기업이 없었고 의자 방석 제작자도 많지 않아서 우리에게는 일거리가 많이 있었습니다.

바소 아저씨. 의자 방석 제작자를 그렇게 불렀는데, 우리는 만족스러웠습니다. 일 년 후에, 어느 가을날 바소 아저씨는 담배에 불을 붙이고선 두꺼운 안경 너머로 날 쳐다보았습니다.

"플라멘, 두 장인(匠人)이 같이 일 할 순 없지.

너는 이 기술을 잘 배웠고 우리는 이제 헤어질 때가 되었구나.

나는 다른 공장을 찾을 거야."라고 말했습니다.

저는 떠나지 않고 머물 거라고 확신하며 "여기는 모두 우리를 위한 장소이니 지금처럼 같이 일해요."하고 말했지만, 아저씨는 단지 눈짓으로 표시하고 떠나갔습니다.

저는 혼자 일을 계속했습니다.

제가 마당에서 일할 때, 나탈리아가 가끔 나를 스쳐 지나쳤습니다. 그 여자는 이미 아주 예쁜 아가씨였습니다. 그 여자의 머릿결은 해의 물결을 닮았고 눈빛은 파랗고 밝았습니다.

우리는 서로 인사하고 조금 대화를 나누었지만, 속으로 나탈리아가 저와 사랑에 빠지게 할 뭔가 큰일을 하리라 마음 먹었습니다.

그러나 이때는 오지 않았습니다.

아름다운 나탈리아는 평범한 의자 방석 제작자를 사랑할 수는 없었습니다.

갑자기 세상이 변했습니다. 새로운 사회 질서가 마치 특별히 저를 위해서 온 것입니다.

저는 돈이 있었기 때문에 즉시 벨린그라드시에 가구 공장을 샀습니다.

이미 오래전부터 나는 평범한 의자 방석 제작자가 아니었습니다.

지금 저는 여러 도시에 몇 채의 집과 승용차들, 호텔들, 가게들을 갖고 있고, 사람들이 제가 이 세상에서 가장 행복한 사람이라고 생각하지만, 그러나 그게 아니었습니다.

저는 아직 나탈리아가 저를 사랑하게 할 수 있는 큰일을 만들지 못한 겁니다.

그렇지만 아쉽게도 제가 무엇을 해야 하는지를 알지 못했습니다.

플라멘은 말없이 따스한 여름 저녁에 맥줏집 '두 선원' 옆을 지나가는 아름다운 아가씨들을 쳐다보았습니다.

저녁이 되었고 그 푸른 어둠이 마치 부드러운 우단으로 우리를 감싸듯 했습니다.

4. BIEREJO "DU MARISTOJ"

Estis oka vespere, en la momento, kiam la tago foriras kaj venas la vespero. Ne eblas kapti tiun ĉi momenton. Ĝi ekestas nerimarkinde kaj rapide. Magia momento. Plurfoje mi provis eksenti ĝin, sed neniam mi sukcesis. Eble ĉiuj ni iam sentas la deziron kapti la nekapteblon. Ja, nia tuta vivo estas ĉeno de nekapteblaj momentoj. Ĉu ni povas eksenti en kiu momento ni iĝas viroj, aŭ en kiu momento ni enamiĝas, aŭ ni komencas maljuniĝi?

Nun ni sidas kun Plamen en bierejo "Du maristoj" – stranga nomo, du maristoj, ĉu tio estas subita ideo de la posedanto de la bierejo, aŭ la nomo estas ligita al iu rememoro? Aŭ verŝajne la posedanto estis maristo.

La bierejo troviĝas proksime al mara ĝardeno sur strato, sur kiu somere pasas multaj homoj. Vintre ĝi estas la plej silenta kaj trankvila strato en la urbo. Somere, en la momento inter la tago kaj vespero, ĉi tie pasas viroj, virinoj, infanoj, sed Plamen kaj mi rimarkas nur la belajn junulinojn. Bone estas ĉi tie dum la someraj vesperoj. Ni sidas en la bierejo kaj rigardas la belulinojn. Nekredeble kiom da belulinoj pasas ĉi tie. La biero estas malvarma, bongusta, de la maro alblovas vento kiel fora bela rememoro. La junulinoj estas duonvestitaj, en teneraj, travideblaj roboj, en kurtaj jupoj, iliaj korpoj estas sunbrunigitaj kaj ili similas al kuraĝaj amazonoj kun okuloj soifaj por aventuroj kaj amo.

Plamen ion rememoras. Li ŝatas rakonti kaj mi ŝatas aŭskulti lin. Li bele rakontas kaj mi ne povas kapti la momenton, kiam liaj historioj glitas de la realo al nerealo, de la vero al fantazio. Mi rigardas liajn malhelajn ciganajn okulojn kaj mi ne komprenas kiel tiel facile li solvas ĉiujn problemojn en la vivo. Nun li estas unu el la plej riĉaj viroj en urbo Varna, sed malmultaj scias tion. Li posedas vendejojn por mebloj, hotelojn, domojn, meblofabrikon en urbo Velingrad. Mia kuzino estis lia edzino, sed delonge ili divorcis. Nun ŝi loĝas en Sofio kaj li ĉi tie – en Varna.

En Sofio – komencas rakonti Plamen - en la

domo, kie mi naskiĝis, loĝis knabino, samaĝa kiel mi, tre bela, Natalia estis ŝia nomo. Natalia tre plaĉis al mi kaj por ŝi mi estis preta al ĉio, sed Natalia tute ne rimarkis min. Ŝi estis diligenta lernantino kaj mi − malbona knabo, kiu nur de tempo al tempo frekventis lernejon. Mi diris al mi, ke iam mi nepre faros ion grandan, kiu igos Natalia rimarki min, enamiĝi en mi, sed tiam ni ambaŭ estis infanoj, lernantoj en la kvara klaso.

Vi scias, mi jam menciis al vi, ke miaj gepatroj divorcis, kiam mi estis en la unua klaso en fundamenta lernejo. Eĉ nun mi ne povas diri kial ili divorcis. Mia patro estis konata kuracisto, kirurgo, kaj mia patrino, profesorino pri juro en la universitato, sed ne panjo, nek paĉjo deziris min kaj mi loĝis ĉe la avino, la patrino de paĉjo, en ŝia granda domo en la centro de Sofio. La domo estis en vasta korto, kie troviĝis alia duetaĝa domo kaj en ĝi loĝis Natalia.

Mi ne povas forgesi ŝiajn longajn blondajn harojn kaj ŝiajn bluajn okulojn, similajn al du senfinaj profundaj lagoj. Ŝi ne estis alta kaj kiam ŝi paŝis kvazaŭ flava nubeto naĝis en la aero. Avino bone zorgis pri mi. Mia avo delonge forpasis kaj la avino faris ĉion eblan por ke mi bone fartu. Nun mi komprenas kiel malfacile estis zorgi pri petolema knabo sen gepatroj, kiu ne deziras frekventi lernejon. La geinstruistoj koleris, ofte vokis avinon en la lernejon, sed kion ŝi povis fari. Mi revis pri Natalia, mi ne lernis kaj tute ne interesis min kio okazos post jaroj. Ĉu mi estos klera aŭ ne. Sed mia avino subite forpasis kaj mi restis ŝia sola heredanto. Mi heredis du grandajn domojn kun pluraj luantoj kaj vastan korton kun garaĝo. Mi jam estis en la sepa klaso kaj en la tago, kiam ni enterigis la avinon, mi komprenis, ke mi restas sola, tute sola, kaj mi devas zorgi pri la tuta posedaĵo, kiu la avino testamentis al mi.

Mi daŭrigis loĝi sola. Miaj gepatroj ne interesiĝis pri mi, kaj panjo, kaj paĉjo havis novajn familiojn. La luantoj de la loĝejoj en miaj domoj, regule lupagis. Iuj el ili kompatis min, sed mi jam estis vera viro. En miaj poŝoj ĉiam estis mono kaj ofte mi ne sciis kion mi faru kun tiom da mono. Tiam mi komprenis, ke la plej grava en la vivo estas la mono. Mi komencis alimaniere rigardi al la vivo. De tempo al tempo aperis paĉjo, sed ankaŭ al li ne mankis mono kaj li tute ne interesiĝis ĉu mi regule kolektas la lupagojn aŭ ne. Tiam mi jam estis sufiĉe sperta rentulo.

Foje venis iu viro, eta kun terpomkolora hararo. Li demandis min ĉu mia estas la garaĝo kaj la korto. Fiere mi respondis "jes". Tiam la malalta viro diris al mi, ke li estas remburisto kaj li ŝatus lui la garaĝon por rembura laborejo. Mi konsentis. Mi jam sukcesis ludoni ĉiujn domĉambrojn, eĉ tiujn, kiujn mia avino tiam ne sukcesis ludoni kaj nur la garaĝo ankoraŭ ne havis luanton. La viro aperis ĝustatempe.

La remburisto plenigis la garaĝon per kanapoj, foteloj, seĝoj kaj komencis labori. Kiam ne pluvis li laboris en la korto. De tempo al tempo pro enuo mi observis lin kiel li remburas kaj mi konversaciis kun li. Foje li demandis min:

- Ĉu vi deziras iĝi remburisto?
- Kial? – ekridis mi.
- Eble iam ĉi metio utilos al vi.

Ne pasis multe da tempo kaj mi demandis min, kial mi ne ellernu la remburistan metion.

- Mi decidis helpi al vi – diris mi al la remburisto kaj mi komencis labori kun li.

Baldaŭ mi konstatis, ke tiu ĉi metio logas min. Mi rapide ellernis ĝin kaj mi komencis bone perlabori. La remburisto estis tre sperta metiisto, li havis tiom da mendoj, ke ofte ni ne sukcesis plenumi ĉiujn. Tiam en la lando ankoraŭ ne estis privatuloj, la remburistoj estis malmultaj kaj ni havis tro da laboro. Oĉjo Vaso, tiel nomiĝis la remburisto, kaj mi estis kontentaj.

Post unu jaro, en aŭtuna tago, oĉjo Vaso bruligis cigaredon kaj alrigardis min tra siaj dikaj okulvitroj.

- Plamene, -diris li - du majstroj ne povas labori kune. Vi bonege ellernis la metion kaj venis la tempo, kiam ni devas disiĝi. Mi serĉos alian laborejon.

Mi provis konvinki lin resti, ne foriri, mi diris al li, ke ĉi tie por ni ambaŭ estas loko, ke ni povus labori kune kiel ĝis nun, sed li nur okulsignis al mi kaj foriris. Mi daŭrigis labori sola. Kiam mi laboris en la korto, Natalia ofte preterpasis ĉe mi. Ŝi jam estis tre bela junulino. Ŝiaj haroj similis al sunaj ondoj kaj ŝiaj okuloj kvazaŭ iĝis pli bluaj kaj pli helaj. Ni salutis unu la alian, ni iom konversaciis, sed mi daŭre diris al mi, ke iam mi faros ion grandan, kiu igos Natalia ekami min. Tamen tiu ĉi tempo ne venis. Bela Natalia ne povis ekami ordinaran remburiston.

Subite tamen la mondo ŝanĝiĝis. La nova sociordo kvazaŭ venis speciale por mi. Mi havis monon kaj mi tuj aĉetis la meblofabrikon en urbo Velingrad. Jam delonge mi ne estas ordinara remburisto. Nun mi havas plurajn domojn en diversaj urboj, aŭtomobilojn, hotelojn, vendejojn kaj oni opinias, ke mi estas la plej feliĉa homo en la mondo, sed ne. Mi ankoraŭ ne faris tion grandan, kiu igos Natalia ekami min. Tamen bedaŭrinde mi jam ne scias kion mi devas fari.

Plamen eksilentis kaj alrigardis la belulinojn, kiuj pasis en la varmeta somera vespero preter bierejo "Du maristoj". Vesperiĝis kaj la blua mallumo kvazaŭ remburis nin per mola veluro.

그들은 서로 사랑했다

나는 길 위로 걸어갔다.

하지만 보지도 듣지도 못했다.

내 옆으로 남자, 여자, 아이들이 지나갔지만 마치 어디서 시작하여 어디에서 끝나는지 아무도 알 수 없는 커다랗고 끝없는 길 위에 혼자 같았다.

내가 어디로 가는지 정말 몰랐다.

매우 오래 걸은 것 같았으며 이미 무척 피곤했다.

머릿속에 수많은 얼굴이, 사건이, 경험들이 주마등처럼 완전히 바뀌어 가고 있었다.

걷던 길을 멈추고 앉아서 또다시 모든 것을 생각해야만 했다.

카페를 보고 그 안으로 들어갔다.

오전 시간이라 카페가 거의 텅 비어있었다.

탁자에 앉아서 창문으로 밖을 내다보았다.

지금까지, 결코 그렇게 혼란스러움을 느껴 본 적이 없었다.

생각들을 정리해 보았지만, 정리가 되지 않았다.

생각 속에서 어두운 다락방 귀퉁이에 있던 잊힌 낡은 신발 상자의 화면이 끊임없이 떠다녔다.
외할아버지 다락방 안으로 들어갔던 이 날 오전을 살아 있는 한 기억할 것이다.

남편과 나는 내 외갓집 할아버지 집을 방문했다.
남편은 정원의 담장을 고치는 외할아버지를 도와야만 했다.
그 작업을 위해서는 작업복이 필요했고, 외할아버지께서는 내게 다락방에 가서 작업복을 가져오라고 말씀하셨다. 곧바로 갔다.
내가 어린이였을 때, 다락방에 숨기를 좋아했다.
그 다락방의 반쯤은 어둡고 신비스러움이 강렬하게 나를 유혹했다.
옛날 옷들이 들어 있는 옷장을 열고, 남편이 입을 옷을 꺼냈으나, 그곳에서 나가기 전에 지나간 아니 날아가 버린 어린 시절을 다시 기억하길 바라며 둘레를 살펴보았다.
그곳에서 몇 시간 동안 여기 앉아서 책을 읽거나 끝없는 매혹적인 꿈속으로 들어갔다.
그때 내 심장의 부딪히는 소리, 비둘기의 다정한 움직이는 소리를 들었다.
지금 그렇게 넓지 않은 다락방에 조금씩 들어갔다.
마치 깨지기 쉬운 어린 시절의 그림자를 보려고 기다리는 것처럼 그것은 오래된 것 뒤에 감춰져 있다.

하지만 이미 오래전에 내 어릴 적 추억의 문은 활짝 열려 있다.

구석 어느 틈에서 낡은 신발을 담는 카드 상자를 찾아냈다.

왜 그것이 주의를 끌었는지 알 수 없지만, 그것을 꺼내 열었다.

이미 오래되고 누렇게 바랜 글자가 적힌 편지 봉투로 상자는 가득했다.

언젠가 엄마가 받은 것들이었다.

호기심을 느끼지 않았지만, 우연히 발신자의 주소를 보게 되었다.

또렷하게 그리고 읽어 보기 쉽게 쓰여 있었다.

'카멘 아포스톨로브, 소피아, 흰 산길 14'

내 눈을 믿을 수가 없었다.

정말 그것은 남편의 아버지, 시아버지 이름과 주소였다.

왜 이 편지들이 여기에 있는지 알 수 없었다.

'무슨 일이 있었지?'

"페피야, 아직도 거기에 있니, 이제 내려오너라."

외할아버지의 목소리를 들었다.

"예, 곧 내려갈게요." 하고 목소리가 침착하고도 떨리지 않게 들리도록 애쓰며 대답했다.

다락방에서 내려오기 전에 조심스럽게 상자를 닫고 아무도 찾지 못하도록 어느 선반 안에 숨겼다.

내려와서 작업복을 남편에게 주었다.

그 뒤 점심을 준비하는 외할머니를 도우려고 방으로 들어갔다.

온종일 불안하게 옛날 편지가 들어 있는 그 상자에 대해 생각했다.

호기심이 불일 듯 일어나 편지를 반드시 모두 읽어 보고 싶었다.

오후에 남편과 외할아버지께서 일을 마쳤다.

서둘러 작업복을 원래대로 선반에 갖다 놓으려고 다락방에 들어갔다.

상자에서 몇 개의 편지를 가져왔다.

블라우스 아래 그것을 감추고 소피아로 돌아오는 내내 꽉 쥐었다.

편지들이 전혀 알지 못한 뭔가를 말하고 실제로 전혀 몰랐던 이야기를 해주리라 예감했다.

다음 날 아침 직장에 가면서 전철에서 편지를 읽었다.

예전에 시아버지와 엄마는 매우 가까운 사이라는 것에 충격을 받았다.

어떤 단어를 사용해야 할지 몰랐다.

시아버지가 엄마에게 보낸 사랑 고백 편지를 읽고 금지된 소설을 읽는 것 같았다.

나는 2년 전 남편과 결혼하여 지금 시댁에서 살고 있다.

시아버지를 잘 알고 있다고 생각했지만 지금 편지를 다 읽어 본 뒤에는 전혀 모르는 남자처럼 앞에 선 듯했다.

비밀의 문을 열고 알지 못한 신비로운 세상으로 들어간

듯했다.

그곳에서 감정적이고 조금 안절부절못한, 엄마를 사랑한 학생을 만났는데, 정말 이 학생은 지금의 시아버지다.

그래서 어쨌다는 거지?

시아버지와 엄마는 언제 만났고 언제 헤어졌을까?

그들은 왜 지금은 전에 서로 모른 척하고 있을까?

시아버지도 우리 엄마도 젊었을 적 사랑에 대해 눈길로도 왜 알리지 않았는가?

이런 의문들이 아프게 나를 찔렀다.

편지에서 시아버지는 결혼에 대해서도 언급했다.

그러나 어쨌다는 거지.

시아버지는 나의 아빠가 될 수 있었나?

몰래 시아버지를 살피기 시작했다.

깊고 현명한 눈길, 눈가의 작은 주름들, 예전엔 멋있었다. 학생 시절 사진은 감상적인 날씬한 젊은이임을 알려주고 무엇 때문에 엄마가 사랑하게 되었는지 알게 됐다.

시아버지는 지금 연금을 받는 유명 과학자, 교수, 전염병 환자에 관해 가장 유명한 전문가 중의 한 사람이다.

결혼 생활의 몇 가지 에피소드와 남편 율리안이 자기 부모에게 나를 소개한 날을 기억해 냈다.

우리는 아직 학생이었고. 모두 기술 대학에서 연구 중이며 1년 반 정도 알고 지냈다.

율리안이 처음 집으로 초대했을 때 나는 크게 불안했다.

율리안의 부모들은 진심으로 나를 맞아주었다.

율리안은 외동아들이었다. 어디 출신이냐고 물어 루세에 살고 있다고 말했을 때 율리안의 아버지는 루세에 예전에 사랑했던 아가씨가 살고 있다고 기억하는 듯했다.

율리안의 부모와 나의 부모가 서로 알 수 있는 순간이 왔다.

우리는 루세로 떠났다.

지금 엄마가 율리안의 아버지를 보고 무엇을 느꼈을지, 율리안의 아버지가 갑자기 엄마를 보고 무엇을 느꼈을지 상상할 수 있다.

2년간 그들은 예전에 서로 알고 있었던 표시를 낸 적이 없다.

우리 결혼이나 서로 가족 초대의 시간 동안 그들은 어떻게 지냈는가.

옛사랑이 다시 몰래 타지는 않았나?

그런 생각이 안정을 주지 못했다.

모든 것을 잊고자 외할아버지 집에 돌아와 다락방에 들어가서 조용히 엄마의 편지를, 항상 닫혀 과거를 잊어버린 오래된 카드 상자에 넣고 싶었다.

왜 그것을 열어 엄마와 시아버지의 기억을 꺼낼 권리가 있는가?

아빠가 엄마의 인생에 나타났을 때 엄마의 학생 시절 사랑을 알았을까? 아빠 때문에 고통스러웠다.

엄마와 시아버지는 아직도 서로 사랑하고 있는가?

이 질문이 잠시도 나를 평안하게 하지 않아 반드시 나를 괴롭힌 일을 누군가에게 말해야 한다.

엄마에게 말할 용기가 없다.

어떻게 반응할지 모른다.

아마 화를 내며 과거를 들추는 것에 상처받을 것이다.

부모가 나를 마중하러 소피아에 왔을 때 자연스럽게 엄마와 시아버지를 몰래 살피기 시작했다.

그러나 편안한 가족 간의 대화에서 의심할 만한 아무것도 알아차릴 수 없고 그것이 더 나를 신경 쓰게 했다.

이제는 참지 못하고 율리안에게 모든 것을 말하기로 했다. 내 가정생활을 상관하지 않고 비밀을 고백하겠다고 생각했다.

끊임없이 나를 괴롭히는 의심과 더 같이 살 수 없었다.

율리안에 대한 느낌조차도 조금 변하기 시작했다.

그리고 이것은 이미 위험했다.

우리 가족은 단지 2년 전부터 존재하였고 비밀과 함께 시작할 수 없다.

우리는 아직 자녀도 없지만, 단지 몇 가지 장애물이 있었다. 저녁때 잠들기 전에 율리안을 쳐다보며 농담 섞어 물어보았다.

"엄마와 시아버지가 꽤 오래전부터 서로 알고 있었던 것 알아요?"

주의 깊게 살펴보았다.

표정을 보고 싶었지만 놀랍게 율리안은 전혀 놀라지 않고 "응"이라고 대답했다.

놀람을 감출 수 없었다. "알고 있었어요?"

"응"이라고 되풀이해서 대답했다.

"아버지께서 내게 말씀하셨지. 내게 모든 것을. 그리고 내가 자발적으로 당신과 결혼하지 않을 것인지 결정하라고 말씀하셨어."

"그러면 당신은?"

"당신을 꼭 내 아내 삼으리라고 결심했어."

"정말요?"

"응, 그럼 그들 사이에는 무슨 일이 있었는데요?" 내가 물었다.

"뭐? 그들은 서로 사랑했지. 그들은 학생 시절 기차에서 알게 되었지. 그들은 결혼 날짜까지도 정했지."

"결혼식 날짜?"

"응. 하지만 당신 엄마가 약혼반지를 돌려주었어."

"무슨 말인가요?"

"그것을 돌려줬지만, 운명은 우리를 통해 그들이 서로 함께하도록 결정했지. 누구에게 화낼 수 없어. 그렇지?"

나는 조용했다. 내 눈앞에 아주 천천히 검고 빨갛고 푸른 여러 색깔의 커다란 바퀴가 돌기 시작했다.

그들이 돌고 나 또한 그들과 함께 돌아가고 있다.

그 빛이 언제 멈출지, 내가 어디로 떨어질지 알지 못했다.

5. ILI AMIS UNU LA ALIAN

Mi iris sur la strato, sed mi ne vidis, nek aŭdis. Preter mi pasis viroj, virinoj, infanoj, sed mi kvazaŭ estis sola sur grandega senfina strato, kiun neniu sciis de kie komenciĝas kaj kie finiĝas. Mi mem ne sciis kien mi iras. Ŝajnis al mi, ke tre longe mi marŝis kaj mi jam estis terure laca. En mia menso ŝanĝiĝis vizaĝoj, okazaĵoj, travivaĵoj, tuta kalejdoskopo. Mi devis halti, sidi kaj denove pripensi ĉion. Mi rimarkis kafejon kaj mi eniris ĝin. En tiu ĉi antaŭtagmeza horo ĝi estis preskaŭ malplena. Mi sidiĝis ĉe unu tablo kaj ekrigardis tra la fenestro. Ĝis nun neniam mi sentis min tiel konfuzita. Mi provis ordigi miajn pensojn, sed nesukcese. El mia menso konstante elnaĝis la bildo de la malnova skatolo por ŝuoj, forgesita en la malluma subtegmenteja angulo. Tutan vivon mi memoros tiun ĉi antaŭtagmezon, kiam mi eniris la subtegmentejon de miaj geavoj.

Mia edzo kaj mi gastis al miaj geavoj, la gepatroj de mia patrino. Mia edzo devis helpi la avon ripari la ĝardenan barilon. Por la laboro li bezonis laborveston kaj la avo diris al mi eniri la subtegmentejon kaj alporti de tie laborveston. Mi tuj iris. Kiam mi estis infano, mi ege ŝatis kaŝi min en la subtegmentejo, kies duonlumo kaj mistereco forte logis min. Mi malfermis la ŝrankon kun la malnovaj vestoj kaj elprenis el ĝi la laborveston por mia edzo, sed antaŭ eliri, mi iom ĉirkaŭrigardis, dezirante rememori mian forpasintan, forflugintan infanecon, kiam dum horoj mi sidis ĉi tie, legante libron aŭ mi dronis en senfinaj, sorĉaj revoj. Tiam mi aŭskultis la frapojn de mia koro kaj la zorgeman kveron de la kolomboj. Nun mi iom promenis en ne tre larĝa subtegmentejo, kvazaŭ mi atendis vidi mian fragilan infanan ombron, kaŝitan malantaŭ la oldaj aĵoj, sed delonge jam la pordo de mia infaneco estis fermita por ĉiam. En unu el la anguloj, mi rimarkis malnovan kartonskatolon por ŝuoj. Mi ne scias kial ĝi vekis mian atenton, sed mi prenis kaj malfermis ĝin. La skatolo estis plen-plena de malnovaj kaj jam flavecaj leteroj kun la kovertoj. Ilin iam ricevis mia patrino. Mi ne deziris esti scivolema, sed nevole mi alrigardis la adreson de la sendanto. Klare kaj legeble estis skribite: "Kamen Apostolov, Sofio, strato "Blanka monto" 14". Mi ne kredis al miaj okuloj, ja tio estas la nomo kaj la adreso de mia bopatro, la patro de mia edzo. Mi ne komprenis kial tiuj ĉi leteroj estas ĉi tie. Kio okazis?

- Pepi, ĉu vi ankoraŭ estas tie, venu jam – mi aŭdis la voĉon de avo.

- Tuj mi venos – respondis mi kaj mi provis, ke mia voĉo sonu trankvile kaj senzorge.

Antaŭ eliri el la subtegmentejo, mi atente fermis la skatolon kaj kaŝis ĝin en iu ŝranko, por ke neniu trovu ĝin. Mi descendis kaj donis la laborveston al la edzo, poste mi eniris la domon por helpi al la avino kuiri la tagmanĝon. Dum la tuta tago maltrankvile mi meditis pri la skatolo kun la malnovaj leteroj. La scivolemo bruligis min kiel fajro kaj mi deziris nepre tralegi tiujn ĉi leterojn.

Posttagmeze, kiam la edzo kaj avo finis la laboron, mi rapide eniris la subtegmentejon por remeti la laborvestojn en la ŝrankon kaj mi prenis kelkajn leterojn el la skatolo. Ilin mi kaŝis sub la bluzo kaj dum la tuta rea vojo al Sofio, mi premis ilin. Mi antaŭsentis, ke la leteroj rakontos ion, kion mi ne sciis kaj verŝajne neniam mi estos eksciinta.

Venontan matenon, kiam mi ekiris al la laborejo, mi tralegis la leterojn en la tramo. Preskaŭ ŝokita mi eksciis, ke iam mia bopatro kaj mia patrino estis tre proksimaj konatoj. Mi ne sciis kian alian vorton uzi. Mi legis la amkonfesojn de mia bopatro al panjo kaj ŝajnis al mi, ke mi legas malpermesitan romanon.

Kun mia edzo ni geedziĝis antaŭ du jaroj kaj nun ni loĝis ĉe liaj gepatroj. Mi opiniis, ke mi bone konas mian bopatron, sed nun, post la tralego de la leteroj, li kvazaŭ ekstaris antaŭ mi kiel tute nekonata viro. Ŝajne mi malfermis sekretan pordon kaj mi eniris nekonatan misteran mondon, kie mi renkontis emocian, iom sinĝenan studenton, kiu amis mian patrinon kaj ĝuste tiu ĉi studento nun estas mia bopatro. Kio okazis? Kiam li kaj mia patrino renkontiĝis kaj kiam iliaj vojoj disiĝis? Kial nun ili rilatas tiel, kvazaŭ neniam antaŭe ili konis unu la alian? Kial ne li, nek ŝi eĉ per rigardo ne aludas pri ilia juneca amo? Tiuj ĉi demandoj dolore pikis min. En la leteroj la bopatro menciis eĉ pri ilia baldaŭ geedziĝo, sed kio okazis? Ĉu la bopatro povis esti mia patro? Mi komencis kaŝe observi lin, lian profundan saĝan rigardon, la sulketojn en la anguloj de liaj okuloj. Iam li estis bela. Liaj studentaj fotoj montris simpatian, sveltan junulon kaj mi komprenis kio igis panjon ekami lin.

La bopatro, nun pensiulo, estis fama sciencisto, profesoro, unu el la plej grandaj fakuloj pri infektaj malsanoj. Mi komencis rememori iujn epizodojn el la unuaj tagoj de mia geedza vivo kaj la tagon, kiam Julian — mia edzo, prezentis min al siaj gepatroj. Ni ankoraŭ estis studentoj, ni ambaŭ studis en Teknika Universitato, kaj ni konis unu la alian de jaro kaj duono. Kiam Julian unuan fojon invitis min en sian domon, mi sentis min ege maltrankvila. Liaj gepatroj tamen tre kore akceptis min. Julian estis ilia sola infano. Ili demandis min de kie mi estas kaj kiam mi diris, ke mi loĝas en Ruse, eble la patro de Julian rememoris, ke en Ruse loĝas la junulino, kiun li amis.

Venis la momento, kiam ni devis konatigi la

gepatrojn de Julian kun miaj gepatroj kaj ni veturis al Ruse. Nun mi povas imagi kion sentis panjo, kiam ŝi vidis la patron de Julian kaj kion li sentis, kiam li subite vidis mian patrinon.

Dum du jaroj ili ambaŭ per nenio montris, ke iam ili konis unu la alian. Kiel ili fartis dum nia geedziĝo kaj dum la familiaj gastadoj unu al alia. Ĉu la malnova amo ne ekflamis kaŝe denove? Tio ne donis al mi trankvilon. Mi deziris forgesi ĉion, reveni ĉe miaj geavoj , eniri la subtegmentejon kaj silente remeti la leterojn de panjo en la malnovan kartonan skatolon, en kiu por ĉiam estis fermita kaj forgesita la pasinteco. Kial mi malfermis ĝin kaj ĉu mi rajtas fosi en la memoraĵoj de panjo kaj de mia bopatro. Kaj paĉjo? Kiam li aperis en la vivo de panjo kaj ĉu li scias pri ŝia studenta amo? Mi sentis doloron pro paĉjo. Ĉu panjo kaj la bopatro ankoraŭ amas unu la alian? Tiu ĉi demando eĉ por sekundo ne lasis min trankvila kaj mi nepre jam devis diri al iu kio min turmentas. Mi ne kuraĝis paroli kun panjo. Mi ne sciis kiel ŝi reagos. Eble ŝi koleros al mi, ŝi ofendiĝos, ke mi kaŝe enrigardis en ŝian pasintecon. Kiam miaj gepatroj venis en Sofion gasti al ni, mi komencis   nevole gvati panjon kaj la bopatron. Tamen nenion suspektindan mi rimarkis en iliaj trankvilaj parencaj konversacioj, sed tio ege streĉigis min. Mi ne eltenis kaj mi decidis rakonti ĉion al Julian. Mi decidis konfesi al li mian sekreton, sendepende ĉu tio minacos nian familian vivon. Mi ne povis plu vivi kun miaj suspektoj, kiuj turmentis min konstante. Eĉ miaj sentoj al Julian komenciĝis iom ŝanĝiĝi kaj tio jam estis danĝera. Nia familio ekzistis nur de du jaroj kaj ĝi ne povis komenciĝi kun sekreto. Ni ankoraŭ ne havis infanon, tamen antaŭ ni antaŭstaris pluraj obstakloj.

Foje, vespere, antaŭ la enlitiĝo, mi alrigardis Julian kaj iom ŝerce mi demandis lin:

- Ĉu vi scias, ke panjo kaj via patro konis unu la alian tre delonge?

Mi atente observis lin, mi deziris vidi lian vizaĝesprimon, sed por mia granda surprizo Julian eĉ ne miris kaj trankvile li respondis:

- Jes.

Tamen mi ne povis kaŝi mian miron.

- Ĉu vi sciis?

- Jes - ripetis li. - Paĉjo diris al mi. Li rakontis

- 75 -

ĉion al mi. Eĉ li diris, ke se mi mem decidos, mi ne edzinigu vin.

- Kaj vi?
- Mi decidis, ke vi nepre estu mia edzino.
- Ĉu?
- Jes.
- Sed kio okazis inter ili? - demandis mi.
- Kio, ili amis unu la alian. Ili konatiĝis en iu vagonaro, kiam ili estis studentoj. Ili eĉ priparolis la daton de la geedziĝo⋯
- La dato de la geedziĝo?
- Jes, sed via patrino redonis la fianĉringon.
- Kion vi parolas?
- Jes, ŝi redonis ĝin, tamen la sorto decidis kunigi ilin pere de ni. Al neniu ni povas koleri , ĉu ne?

Mi silentis. Antaŭ miaj okuloj tre malrapide komenciĝis rotacii grandega rado diverskolora, blanka, blua, ruĝa, verda. Ĝi rotaciis kaj kun ĝi ankaŭ mi rotaciis. Mi ne sciis kiam la rado haltos kaj kien mi falos.

실수

나는 긴장해서 경찰관을 바라보았다.

경찰관은 키가 크고 날씬하며 대략 40살 정도였다.

제복이 잘 어울렸다. 계급이 뭔지는 모르고, 작은 견장 위에 있는 표시를 알 수 없었다.

좋은 의도를 가진 듯했다. 뭔가 오해가 생겼다.

내가 지하철에서 내렸을 때 사람들이 나를 체포했다.

두 명의 젊은 경찰관이 나를 막아 세우더니 여권을 요구했다.

조용히 여권을 내주었다.

한참 여권을 살피더니 서투른 독일어 말투로 "경찰서로 같이 가자"고 말했다. 이유를 물어보려고 했지만, 대답도 하지 않고 차에 태웠다.

나는 경찰 간부 앞에 앉았다.

간부는 뭔가를 영어로 설명하려고 했지만 나는 영어를 모르기에 아무것도 알아들을 수 없었다.

나는 독일어로 물었고 간부는 독일어를 할 줄 몰랐다.

서로 말없이 앉아 있었다.

내 속에서 긴장감이 눈사태처럼 커졌다.

나는 어떤 경범죄도 저지른 적이 없다.
이 체포 때문에 내 하루 전체 일정을 망쳤다.

아침에 나는 스젠텐드르에 갈 계획이었다.
그곳은 많은 미술관, 박물관, 사원이 있는 옛 헝가리 도시 분위기를 간직한 다뉴브 해변의 아주 아름다운 작은 도시로 알려졌다.
나는 파란 눈의 헝가리 아가씨같이 신선한 거친 봄날 아침의 기쁨을 예상했다.
스젠텐드르를 한 바퀴 구경하고, 여행 책자에서 읽은 맛있는 생선 죽이 나오는, 다뉴브 근처 작은 식당 중 한 곳에서 점심을 할 계획이었다.
그 뒤 해변에서 조금 더 거닐다가 저녁에 호텔로 돌아올 것이다.

그러나 경찰들이 갑자기 내 계획을 바꾸었고 아직도 무엇이 나를 기다릴지도 모른다. 안개 같은 앞날이 내 힘을 뱀처럼 빨아들이고 나는 새의 깃털처럼 힘이 없다.

오래전에 부다페스트를 방문할 예정이었다.
3년 전 차로 와서 게래르트 호텔에서 방을 빌렸다.
사람들이 예전부터 유명한 가장 좋은 곳 중의 하나라고 말했다.
헝가리 수도에서 보낸 하루는 햇빛의 잔치 같았다.

활기찬 부다페스트의 거리를 돌아다니며, 미술관, 장엄한 성당을 관람하고 바찌 거리의 화려한 진열장을 훑어보았다. 조용하고 친절한 사람들을 살피고 부다페스트에 있으면서 내 귀한 꿈이 실현된 것에 아이처럼 행복했다.

갑자기 문이 열렸다. 방안으로 금발의 파란 눈을 가진 아가씨가 들어왔다.
부드러운 하얀 블라우스에 깃에는 단추가 없는 초콜릿 색깔의 외투를 아름답게 차려입었다.
간부가 곧 일어나 상냥하게 인사하고 앉으라고 요청했다. 질문이 시작됐다. 통역가는 단어마다 통역했다.
때때로 통역가를 쳐다봤지만 나를 의식하지 않은 듯했다. 간부는 이름이 무엇이고 어디서 왔으며 어떤 목적으로 부다페스트에 왔는지 물었다.
정확하고 분명히 대답했지만, 점점 불안해졌다.
날카로운 이로 나를 씹으려는 넓은 바닷속 상어들 사이에 있는 것처럼 두려움이 나를 딱딱하게 만들었다.
간부는 이미 전처럼 동정적이지 않게 보였다.
나를 심문하며 믿지 못하듯이 나를 살폈다.
질문은 꽤 길게 이어졌다.
식료품점에서 훔치다 잡힌 거지처럼 느껴졌다.
부다페스트에 관광차 왔다고 설명할 수 없었다.
최대한 친절하려고 했지만, 이제는 안 됐다.
오해가 발생했고 내 불안은 검은 비바람 구름처럼 모였

다고 확신했다.

갑자기 간부와 통역가가 일어섰다.

방에 나 혼자 내버려 졌다.

가만히 앉아서 감히 돌아볼 용기도 없었다.

아마 어딘가에서 몰래 나를 감시할 것이다. 아니다. 나는 찢어지고 버려진 자루처럼 지쳐 있다. 심하게 더워 땀이 났다. 몇 분이나 혼자 있었는지 모른다.

굴복시키는 파도가 더욱 나를 숨 막히게 했다.

작고 힘없고 남들이 싫어하는 바퀴벌레처럼 느껴졌다. 경찰 간부의 차가운 눈빛은 마치 면도날처럼 나를 자른다. 반대편에 서는 것이 무엇을 의미하는지 알기 시작했다. 헝가리 경찰 간부에게는 내가 불분명한 목적으로 온 외국인이다. 그의 처지에서 나를 보려고 했다.

아마 나도 그렇게 생각했을 것이다.

무력감이 나를 찢었다. 말도 할 줄 모르고 나를 도와줄 사람도 없는 낯선 나라에서 나는 혼자였다.

나를 변호할 수조차 없었다.

그러나 최대한 헝가리 경찰 간부와 서로 이해하기를 원했다. 남자로서 악수하고 눈으로 서로 쳐다보기를 바랐지만, 그 사람의 눈길은 금속처럼 딱딱했다.

그들이 돌아오자 불가리아 대사관으로 전화를 요청했다. 불가리아 직원들이 어떤 반응을 할지 잘 알지 못할지라도 그것이 유일한 희망이다. 경찰 간부와 통역가는 돌아왔다. 아마 내가 매우 불쌍하게 보인 듯했다. 통역가가 나를 친절하게 대하고 하늘빛 눈 속에 따뜻함이 빛나는 것을 볼 때 나는 의자에서 조금 일어나 힘들게 침을 삼켰다. 목 안에 선인장이 있는 듯했다.

불가리아 대사관에 전화하도록 그 여자에게 요청하고 싶었지만, 경찰 간부가 말하기 시작하자 통역가는 통역을 시작했다. 그는 실수가 있었다고 여권을 돌려주며 설명했다. 통역가와 함께 거리로 나왔다.

5월의 해가 빛나지만 따뜻하지 않았다. 지금처럼 밝은 낮에 슬퍼한 적이 없다. 통역가에게 고맙다고 인사했다.

"당신이 없었다면 무슨 일이 일어났을지 모릅니다."

여자가 조그맣게 웃자 왼쪽 뺨의 작은 근육이 움직였다.

"커피숍으로 초대하고 싶어요. 이미 내가 나쁜 사람이 아니라고 알고 있지요."

범인이라고 말하고 싶었으나. 그만두고 나쁜 사람이라고 말했다.

그 여자가 거절하지 않아 리듬 있는 이름 '오모니아'라는 근처 커피숍에 앉았다.

우리 주위에서 사람들은 웃고 이야기하고 모든 것이 유채색 세상과 커피 향에서 헤엄치고 적어도 내게는 그렇게 보였다.

"무슨 일이 생긴 건지 모르겠어요." 하고 통역가에게 물었다.

"유감스럽게 매우 불쾌한 실수입니다." 난처한 듯 나를 쳐다봤다.

"헝가리 경찰은 거대한 국제 마약밀매 조직을 조사하고 있어요. 몽타주에 따르면 불가리아 사람 마약 운반책 중 하나가 선생님과 닮았답니다. 우연의 일치일 수도 있지만 이미 모든 것이 잘 해결되었다는 것이 더 중요하지요."

나는 생각에 잠겼다. 아마 나를 감시했지만 나는 자유로운 나라에서 자유롭게 산책하는 것을 상상했다.

"전에는 그렇지 않았어요." 통역가가 덧붙였다.

"헝가리 사람들은 불가리아 사람을 사랑했지만 지난 몇 년 동안 여러 문제가 생겼어요. 불가리아 사람이 헝가리에서 자동차를 훔치고 마약 운반과 여자 인신매매에 참여했어요."

"그렇군요." 나는 우물쭈물 대답했다.

통역가는 아직 그곳을 가서 직접 보지 못했지만 발라토노 호수의 색처럼 바다 물빛을 가진 파랗고 푸른 눈을 가진 부드러운 암노루를 닮았다.

불가리아 말로 천천히 주의 깊게 말하는 점이 마음에 들었다.

헝가리어처럼 단어 첫음절에 무의식적으로 강세를 준다. 목소리를 들으면서 적어도 그 여자가 아직도 불가리아 사람을 사랑하기만을 바랄 뿐이다.

6. LA ERARO

Mi streĉe rigardas la policanon. Li estas alta, svelta, ĉirkaŭ kvardekjara. La uniformo konvenas al li. Mi ne komprenas kian rangon li havas, mi ne konas la signojn sur liaj epoletoj. Li aspektas bonintenca. Okazis ia miskompreno. Oni arestis min, ĵus, kiam mi eliris el metroo. Du junaj policanoj haltigis min kaj petis mian pasporton. Trankvile mi donis ĝin. Ili longe ĝin strabis, poste fuŝgermane ili diris, ke mi devas iri kun ili en la policejon. Mi provis demandi kial, sed ili ne respondis kaj enigis min en aŭton.

Nun mi sidas antaŭ ilia estro, kiu provas klarigi ion angle, sed mi komprenas nenion, mi ne scipovas anglan. Mi demandas germane, sed li ne parolas germane. Ni sidas silente unu kontraŭ la alia. La streĉeco en mi kreskas kiel lavango. Mi certas, ke nenian delikton mi faris. Tiu ĉi aresto fuŝis mian tutan tagon. Matene mi intencis iri al

Szentendre. Oni diris, ke ĝi estas belega urbeto ĉe Danuba bordo, kiu gardas la atmosferon de la malnovaj hungaraj urboj kun multaj galerioj, muzeoj, temploj. Mi antaŭsentis la plezuron de la senzorga printempa mateno, freŝa kiel bluokula hungara junulino. Mi planis trarigardi Szentendre, tagmanĝi en iu el la etaj restoracioj ĉe Danubo, pri kiuj mi legis en la vojaĝlibro, kie oni aparte menciis la bongustan fiŝan supon. Poste verŝajne mi iom vagos ĉe la bordo kaj vespere mi revenos en la hotelon. Sed la policanoj subite ŝanĝis mian planon kaj mi ne scias kio ankoraŭ atendas min. La nebula estonto suĉas miajn fortojn kiel kolubro kaj mi estas malpeza kiel lanugo.

Delonge mi planis viziti Budapeŝton. Antaŭ tri tagoj mi alvenis aŭte kaj luis ĉambron en hotelo "Gelert", onidire unu el la plej bonaj kun malnova gloro. Miaj unuaj tagoj en la hungara ĉefurbo estis kiel sunaj festoj. Mi promenis sur la viglaj budapeŝtaj stratoj, enrigardis en artgaleriojn kaj en majestajn katedralojn, gapis la luksajn vitrinojn sur strato "Vaci", observis la homojn, trankvilaj kaj afablaj, mi feliĉis kiel knabo, ke mi estas en Budapeŝto kaj mia kara revo realiĝis.

Subite la pordo malfermiĝis. En la ĉambron eniris junulino, blondulino, bluokula. Elegante vestita, ŝi surhavas ĉokoladkoloran kostumon kaj teneran blankan bluzon kun malbutonumita kolumo. Mi divenas, ke ŝi estas la tradukistino. La policestro tuj ekstaras, afable salutas ŝin kaj invitas ŝin sidiĝi. La pridemando komenciĝas. La tradukistino tradukas vorton post vorto. De tempo al tempo mi alrigardas ŝin, sed ŝi ŝajnigas, ke ne rimarkas min. La policestro demandas kiel mi nomiĝas, de kie mi venas kaj kiacele mi estas en Budapeŝto. Mi respondas precize kaj klare, sed mi iĝas pli maltrankvila kaj pli maltrankvila. La timo rigidas min, kvazaŭ mi estas en glacia oceano inter ŝarkoj, kies akraj dentoj tuj ŝiros min.

La policestro jam ne aspektas tiel simpatia kiel antaŭe. Li esplore, malfideme observas min. La pridemando daŭras tro longe. Mi sentas min kiel almozulon, kiun oni kaptis ŝteli en nutraĵvendejo. Mi ne povas klarigi, ke mi estas en Budapeŝto kiel turisto. Mi streĉas mian volon por esti afabla, sed mi ne plu regas min. Mi certas, ke okazis miskompreno, mia maltrankvilo amasiĝas kiel nigraj tempestaj nuboj.

Subite la policestro kaj la tradukistino eliras. Ili lasas min sola en la ĉambro. Mi sidas senmova kaj mi ne kuraĝas eĉ turni min. Eble de ie oni observas min kaŝe, aŭ eble – ne. Mi estas elĉerpita kiel disŝirita, forĵetita sako. Estas terure varme, mi ŝvitas. Kiom da minutoj mi restis sola – mi ne scias. La humiliga ondo pli kaj pli sufokas min. Mi sentas min eta, malforta kaj senhelpa kiel blato. La frida rigardo de policestro kvazaŭ ankoraŭ tranĉas kiel razilo min. Mi komencas kompreni kion signifas esti de alia flanko. Por la hungara policestro mi estas fremdlandano, kiu venis kun neklara celo. Mi provas imagi min je lia loko. Eble ankaŭ mi rezonos tiel. La sento de senhelpo disŝmiras min. Mi estas sola en fremda lando, sen scii la lingvon kaj neniu helpos min. Mi ne povas min defendi. Tamen mi ege deziras interkompreniĝi kun tiu ĉi hungara policestro. Mi deziras, ke ni premu manojn kiel viroj kaj ni alrigardu unu la alian rekte en la okuloj, sed lia rigardo estas dura kiel ŝtalo. Kiam ili revenos, mi petos ilin telefoni al bulgara ambasadorejo. Tio estas mia sola espero, malgraŭ, ke mi bone scias, ke mi ne povas kalkuli je bulgaraj oficistoj.

La policestro kaj la tradukistino revenas. Eble mi aspektas tre kompatinde, ĉar la tradukistino alrigardis min kare kaj en ŝiaj lazuraj okuloj ekbrilas varmo. Mi iom ekstaras de la seĝo kaj pene mi glutas. En mia gorĝo kvazaŭ estas kakto. Mi deziras peti ŝin telefoni al bulgara ambasadorejo, sed la policestro ekparolas kaj ŝi komencas traduki. Li klarigas, ke okazis eraro kaj li redonas al mi la pasporton.

Mi eliras sur la straton kun la tradukistino. La maja suno brilas, sed ne varmas. Neniam mi tiom ĝojis al la taga lumo, kiel nun. Mi turnas min por danki al la tradukistino.

- Mi ne scias kio okazos al mi, se ne estis vi.

Ŝi ekridetas kaj eta muskolo ekludas sur ŝia maldekstra vango.

- Mi ŝatus inviti vin al kafo. Vi jam scias, ke mi ne estas malbona homo.

Mi deziris diri "krimulo", sed mi retenis min kaj diris "malbona homo".

Ŝi ne rezignas kaj ni sidas en proksima kafejo, kun melodia nomo "Omonia". Ĉirkaŭ ni la homoj ridas, konversacias kaj ĉio naĝas en koloroj kaj kafaromo, aŭ eble nur al mi ŝajnas tiel.

- Mi ne komprenis kio okazis - demandas mi la tradukistinon.

- Bedaŭrinde tre malagrabla eraro - ŝi rigardas min embarasite. - La hungara polico esploras grandan internacian narkotiktrafikon. Laŭ la priskribo vi similas al iu el la narkotiktrafikuloj, bulgaro. Iuj indikoj ankaŭ koincidas, sed pli gravas, ke ĉio jam estas en ordo.

Mi enpensiĝis. Eble oni spionis min, sed mi imagis, ke mi promenadas libere en libera lando.

- Antaŭe ne estis tiel - aldonas la tradukistino. - Hungaroj amas bulgarojn, sed dum la lastaj jaroj okazis pluraj problemoj. Bulgaroj ŝtelas aŭtomobilojn en Hungario, partoprenas en la trafiko de narkotikoj kaj publikulinoj···

- Jes - flustras mi.

La tradukistino similas al tenera kapreolino kun bluverdaj okuloj kun akvamarina koloro, eble kiel la koloro de lago Balatono, malgraŭ ke mi ankoraŭ ne vidis ĝin. Plaĉas al mi kiel ŝi parolas bulgare, malrapide kaj atente. Nevole ŝi akcentas la unuajn silabojn de la vortoj kiel en hungara lingvo. Mi aŭskultas ŝin kaj mi deziras nur unu, ke almenaŭ ŝi ankoraŭ amu la bulgarojn.

잘못

도브리 할아버지와 개 아라보는 늘 함께 있었습니다.
시니게로보 마을에서는 모든 사람이 그들을 알고 있습니다. 건강하고 튼튼한 도브리 할아버지는 혼자 살고 있습니다.
스스로 요리하고 옷을 빨았습니다.
부인 델자는 몇 년 전에 세상을 떠났습니다.
도브리 할아버지의 자녀들은 도시에 살면서 아주 가끔 마을에 왔습니다.
그러나 도브리 할아버지는 자녀에 대해 절대 나쁘게 말을 하지 않습니다.
자녀들의 생활도 쉽지 않음을 알기에 성가시게 하고 싶지 않기 때문입니다.
도브리 할아버지는 정원을 손질하고 몇 마리 암탉과 양을 키웁니다.
아침부터 밤늦게까지 일합니다.
아라보가 항상 옆에 있어 외로울 틈이 없습니다.
도브리 할아버지는 그것들과 함께 얘기도 나누고 토론도 하느라 시간 가는 줄 모릅니다.

시니게로보 마을에서 태어난 도브리 할아버지는 살면서 오직 두 번 마을을 떠난 적이 있습니다.

첫 번째는 젊었을 때 시니게로보 마을에서 아주 먼 남쪽 국경선에 있는 군대에서 복무했고

그리고 두 번째는 아파서 도시에 있는 병원에서 일주일 내내 지냈습니다

그때 허리가 아파서 일어나거나 걸을 수가 없었습니다. 의사들은 좌골 신경통이 있다고 말했습니다

그러나 도브리 할아버지는 그때는 젊었기에 모든 것이 지나가고 다시 건강해졌습니다.

다시는 병원에서 지내지 않겠다고 스스로 다짐했습니다. 아라보와 함께 집에 있고 싶어 했습니다.

아라보는 마당과 집 그리고 가축들을 지키고, 도브리 할아버지는 아들처럼 아라보를 예뻐했습니다.

빵을 먹지 않고 지낼 준비를 했을지라도 아라보에게는 항상 음식을 먹여 결코 배고프게 두지 않았습니다.

2년 전에 아라보는 커다랗고 겁먹은 눈을 가진 작고 검은 강아지였습니다.

도브리 할아버지의 동생의 손자 이바노가 가져왔습니다. 그 당시 도브리 할아버지는 개가 없었습니다.

도브리 할아버지는 이바노가 작은 솜털같이 부드러운 공을 가지고 왔을 때 놀라서 물었습니다.

"이바노, 무엇을 가지고 왔느냐?"

"강아지를 데려왔습니다."

"강아지를?"

"할아버지가 도브리 할아버지는 개가 없다고 이 강아지를 데려다주라고 말씀하셨어요."

"좋구나! 이름이 무엇이니?"

"할아버지가 말씀하지 않으셨어요."

"이리 줘 봐!"

도브리 할아버지는 강아지를 들고서 "매우 검구나, 이바노. 아라보라고 부르자. 아랍인처럼 검은색이니까."라고 말했습니다.

그날부터 아라보는 도브리 할아버지 집에서 살기 시작해 둘은 헤어질 수 없게 되었습니다.

서로 쳐다보는 것만으로 서로 이해할 정도였습니다.

그렇게 2년이 지났습니다.

이번 겨울, 크리스마스와 새해가 되기 전에 도브리 할아버지는 닭장 주변에서 여우의 발자취를 보았습니다.

'마음에 들지 않는데' 하고 혼잣말했습니다.

발자취를 살펴보고 '어떻게 여우가 닭장 안으로 도둑질하러 들어오고 아라보는 알아채지 못할 수가 있지?' 하고 매우 놀랐습니다.

도브리 할아버지는 아라보가 아주 작은 소음조차도 알아차린다는 것을 알고 있었습니다. 동물이나 사람이 집 옆의 길을 지나면 곧바로 짖었습니다.

며칠 뒤 어느 아침에 도브리 할아버지가 암탉에게 사료를 주러 가서 암탉 한 마리가 없어졌음을 알았습니다.

닭장에는 닭 깃털이 가득했습니다.

여우가 잘 가져갔습니다.

여우가 훔치러 와서 마음에 든 암탉을 잡았는데 조용하게 누구의 방해도 받지 않고 맛있는 전리품을 챙겨 갔습니다.

아라보는 또다시 알아차리지 못했습니다.

그 사실 때문에 크게 화가 났습니다.

여우가 암탉을 잡아가서가 아니라 아라보가 닭장을 지키지 못해 화났습니다.

'어떻게 그럴 수 있지'

도브리 할아버지는 불평하면서 개를 꾸짖었습니다.

'이것이 아라보의 의무야. 암탉을 지켜야 해. 그래서 네게 사료를 주는 것이지. 집 안으로 도둑이 들어와서 암탉이 아니라 집에 있는 모든 것을 훔쳐 갈 것이다.

왜 닭장 하나도 지키지 못하는 개가 필요할까?'

도브리 할아버지는 오랫동안 화내고 불평불만 하며 아라보를 찾았지만 아라보는 어디에도 없었습니다.

'이 잠자는 개가 어디에 숨었지?'

모든 마당을 살펴보고 건초더미나 양의 우리도 둘러보았지만 아라보는 어디에도 없었습니다.

도브리 할아버지는 이 점이 이상하다고 느꼈습니다.

아라보는 항상 마당에 있었습니다.

'무슨 일이지? 아라보가 여우를 뒤따라 갔나?'

도브리 할아버지는 거리로 나가서 울타리를 둘러 보았습

니다.

눈 위에서 여우와 아라보의 흔적을 발견했습니다.

'어떻게 된 거야?'

도브리 할아버지는 몸을 굽혀 발자국을 더 자세히 살펴보았습니다.

'아라보가 여우를 따라갔나?'

부드러운 눈 위에 여우의 작은 발자국과 더 큰 아라보의 발자국이 분명하게 보였습니다.

틀리지 않았습니다. 발자국은 매우 선명했습니다.

노인은 집에 들어와서 사냥용 총을 잡았습니다.

'무슨 일이든지 일어날 수 있어. 아마 여우 털을 가질 수 있을 거야.'

도브리 할아버지는 혼잣말했습니다.

어깨에 총을 메고 집을 나섰습니다.

짐작했던 대로 발자국은 집에서 멀지 않은 숲속으로 이어졌습니다.

빠르게 가자 호흡이 더 가쁘기 시작했습니다.

사냥꾼의 열정이 마음에 가득 찼습니다.

숲속으로 들어가서 작은 언덕을 기어올라 강이 있는 계곡까지 계속 갔습니다.

여기서는 발자국을 더 명확하게 볼 수 있습니다.

마치 누군가 하얀 종이 위에 눈 위에 그린 것 같습니다.

도브리 할아버지는 더욱 천천히 조심스럽게 지나갔습니다. 분명 어딘가 근처에 여우와 아라보가 가까이 있기 때문입니다.

왜 개 짖는 소리를 듣지 못하는지 왜 숲이 그렇게 조용한지 도대체 이해할 수가 없었습니다

'이상하다.

아라보가 여우를 괴롭히거나 둘이 같이 갔나?'

갑자기 작은 소리가 났습니다.

멈춰서 귀를 기울이고 뒤로 천천히 몇 걸음 밟아 덤불 뒤에서 주의 깊게 살폈습니다.

작은 풀밭 끝에 놀라게 하는 무언가가 있었습니다.

아라보와 여우가 서로 반대편에서 쳐다보고 서 있었습니다. 여우는 키가 작고 황적색이며 아라보는 더 크고 검은색이었습니다.

여우와 아라보는 서로 쳐다보듯 움직이지 않고 서 있었습니다. 도브리 할아버지는 '아!'하고 놀랐습니다.

여우와 개는 서로 빙빙 돌기 시작했습니다.

'아!' 하고 놀랐습니다.

때때로 서로 부리를 가까이 대거나 꼬리를 흔들었습니다. 둘이 서로 뛰고 나중에 갑자기 멀어졌다가 다시 뛰었습니다.

도브리 할아버지는 자세히 주의해서 놀라운 듯 살펴보았습니다. '사랑을 닮았구나' 혼잣말했습니다.

살면서 처음으로 여우에게 구애하는 개를 보았습니다.

여우가 교활하다고 사람들이 말하는 것은 아마 우연이 아닙니다. 노인은 생각했습니다.

풀밭에 희미한 1월의 해가 빛나고 있었습니다.

아라보와 여우는 사랑의 장난을 계속했습니다.

갑자기 여우가 귀를 들었습니다.

아마 바람이 불어 도브리 할아버지의 냄새를 맡았거나 어떤 소음을 들었을 것입니다.

여우는 꼬리를 흔들며 숲속으로 갔습니다.

아라보만 풀밭에 남아있었습니다.

개가 몸을 돌렸습니다. 도브리 할아버지는 덤불에서 나와 아라보에게 다가갔습니다.

아라보는 움직이지 않고 서서 할아버지를 쳐다보았습니다. 눈에는 잘못을 뉘우치는 느낌이 보였습니다.

개는 무엇을 해야 하는지 알았을 것입니다.

이제 도브리 할아버지는 매우 화를 내며 소리치기 시작했습니다.

'부끄러운 줄 알아라! 집을 지키는 대신 사랑을 했구나! 이제 총으로 쏴 죽이겠다.

너를 먹여 주었는데 여우를 닭장에 들어가게 하다니.'

아라보는 움직이지 않았습니다.

어쩌면 지금 아라보는 행복한 순간을 겪고 있었으며 무슨 일이 일어날지는 중요하지 않았습니다.

이것이 노인을 더욱 화나게 했습니다.

노인은 총을 들어 아라보를 겨누었습니다.

하지만 쏠 힘이 없었습니다. 도브리 할아버지는 한숨을 쉬고 총을 어깨에 멘 채 마을로 돌아왔습니다.

7. LA KULPO

Ili ĉiam estis kune, avo Dobri kaj la hundo Arabo. En la vilaĝo Sinigerovo ĉiuj konis ilin. Sana, forta, avo Dobri loĝis sola. Li mem kuiris kaj lavis siajn vestojn. Lia edzino, onklino Delja, forpasis antaŭ kelkaj jaroj. La gefiloj de avo Dobri loĝis en la urbo kaj tre malofte venis en la vilaĝon, sed avo Dobri neniam malbonan vorton diris pri ili. Li sciis, ke ankaŭ ilia vivo ne estas facila kaj li ne deziris ĝeni ilin.

Avo Dobri kutimis prifosi la ĝardenon, zorgis pri kelkaj kokinoj kaj ŝafoj. De matene ĝis vespere li laboris kaj la soleco ne ĝenis lin, ĉar la hundo Arabo ĉiam estis apud li kaj kun ĝi avo Dobri konversaciis, diskutis kaj tiel nesenteble pasis la tempo. Naskita en Sinigerovo avo Dobri nur dufoje en sia vivo forlasis la vilaĝon. Unue, kiam li estis junulo kaj soldatservis tre malproksime de Sinigerovo ĉe la suda landlimo kaj la duan fojon, kiam li malsaniĝis kaj tutan semajnon li pasigis en la malsanulejo en la urbo. Tiam la lumbo doloris kaj li ne povis leviĝi nek paŝi. La kuracistoj diris, ke estis iskiata neŭralgio, sed tiam avo Dobri estis pli juna kaj ĉio pasis, li resaniĝis kaj li diris al si mem, ke neniam plu li konsentos resti en malsanulejo. Li deziris esti nur hejme kun Arabo. Arabo gardis la korton, la domon, la brutaron kaj avo Dobri amis Arabon kiel sian filon. Li pretis resti sen pano, sed ĉiam estu por Arabo manĝi kaj la hundo neniam restis malsata.

Antaŭ du jaroj Arabo estis eta nigra hundo kun grandaj timigitaj okuloj. Ĝin portis al avo Dobri Ivano, la nepo de la frato de Dobri. Tiam avo Dobri ne havis hundon kaj kiam Ivano venis kun la malgranda lanugmola   pilko, avo Dobri mire demandis lin:

—Ivaĉjo, kion vi portas?

—Mi portas al vi hundeton.

—Ĉu hundeto?

—Avo diris, ke vi ne havas hundon kaj diris, ke mi portu al vi tiun ĉi hundeton.

—Bone, kiel ĝi nomiĝas?

—Avo ne diris ĝian nomon.

—Montru ĝin — diris avo Dobri kaj prenis la hundeton. — Ĝi estas tre nigra, Ivaĉjo. Ni nomu ĝin Arabo, ĉar ĝi estas nigra kiel arabo.

De tiu tago Arabo ekloĝis en la domo de avo Dobri kaj ambaŭ iĝis nedisigeblaj. Ili komprenis unu la alian nur rigardante unu la alian.

Tiel pasis du jaroj. Ĉi vintre, antaŭ la Kristnasko kaj la Nova Jaro, avo Dobri rimarkis ĉirkaŭ la kokinejo vulpajn spurojn. Tio ne plaĉas al mi, diris al si mem la maljunulo. Li rigardis la spurojn kaj tre miris kiel la vulpo enŝteliĝis en la kokinejon kaj Arabo ne eksentis ĝin. Avo Dobri sciis, ke Arabo perceptas eĉ la plej etan bruon. Ĝi tuj bojis, kiam besto aŭ homo pasis sur la strato preter la domo.

Post kelkaj tagoj en unu mateno, kiam avo Dobri iris nutri la kokinojn, li rimarkis, ke unu kokino mankas. La kokinejo estis plen-plena de kokina plumaro. La vulpo bone ĉasis. Ĝi enŝteliĝis, kaptis la kokinon, kiu plaĉis al ĝi kaj silente, ne ĝenata de iu foriris kun la bongusta predo. Arabo denove ne eksentis ĝin kaj tio forte kolerigis la maljunulon. Li ne koleriĝis, ke la vulpo forrabis kokinon, sed ke Arabo ne gardas la kokinejon. Kiel eblas, grumblis avo Dobri kaj blasfemis la hundon. Ja, tio estas la devo de Arabo. Li devas gardi la kokinojn, tial mi nutras ĝin. Povas okazi, ke en la domon eniros ŝtelisto kaj ne kokinon, sed ĉion el la domo li forportos. Kial mi bezonas hundon, kiu unu kokinejon ne povas gardi. Avo Dobri longe grumblis kolere kaj serĉis Arabon, sed la hundo nenie estis. Kie kaŝis sin tiu ĉi dormanta hundo, miris avo Dobri. Li trarigardis la tutan korton, serĉis ĝin en la fojnejo, en la ŝafejo, sed Arabo nenie estis. Tio ŝajnis al avo Dobri stranga. Arabo ĉiam estis en la korto. Kio okazis? Avo Dobri eliris sur la straton kaj rigardis ĉirkaŭ la barilo. Sur la neĝo li rimarkis spurojn de la vulpo kaj de Arabo. Kio okazis? Ĉu Arabo kuris post la vulpo? Avo Dobri klinis sin kaj pli bone observis la spurojn. Sur la mola neĝo klare videblis la pli etaj spuroj de la vulpo kaj la pli grandaj de Arabo. Li ne eraris, la spuroj estis tre klaraj. La maljunulo eniris la domon kaj prenis la ĉasfusilon, ja ĉio povas okazi. Eble mi havos vulpan felon, diris al si mem avo Dobri. Li metis la fusilon sur la ŝultron kaj ekiris.

Kiel li supozis la spuroj gvidis al la arbaro, kiu ne estis malproksime de la domo. Li iris rapide kaj eĉ komencis pli peze spiri. La ĉasista pasio obsedis lin. Li eniris la arbaron, grimpis sur monteton kaj daŭrigis al ravino, kie estis rivero. Ĉi tie la spuroj videblis pli klare, kvazaŭ iu pentris ilin sur la neĝon kiel sur blankan paperon. Nun avo Dobri pasis pli malrapide kaj pli singarde, ĉar certe ie proksime estis la vulpo kaj Arabo. Li nur ne povis kompreni kial li ne aŭdas hundan bojon kaj kial la Arbaro estis tiel silenta. "Strange – diris avo Dobri – ĉu Arabo persekutis la vulpon aŭ kuris kune kun ĝi?"

Subite li perceptis krieteton. Li haltis kaj streĉis la orelojn, poste malrapide li faris kelkajn paŝojn kaj gvatis malantaŭ de arbusto. Je la fino de negranda herbejo li vidis ion, kio lin ŝtonigis. La vulpo kaj Arabo staris unu kontraŭ la alia. La vulpo estis malalta, flavruĝa kaj Arabo pli granda kaj nigra. Ili staris senmovaj kaj kvazaŭ rigardis unu la alian. Ho! – miris avo Dobri. La vulpo kaj la hundo komencis malrapide ĉirkaŭiri unu la alian. De tempo al tempo ili proksimigis siajn buŝegojn unu al alia kaj movis siajn vostojn. Ambaŭ saltis unu al alia, poste subite malproksimiĝis kaj denove saltis. Avo Dobri rigardis ilin atente kaj konsternite. Tio similas al amo, diris al si mem li.

Unuan fojon en la vivo li vidis hundon, kiu amindumas vulpon. Eble ne hazarde oni diras, ke la vulpoj estas ruzaj – meditis la maljunulo. Sur la herbejo, lumigita de la pala januara suno, Arabo kaj la vulpo daŭrigis la aman ludon. Subite la vulpo levis orelojn, eble blovis vento kaj ĝi eksentis la odoron de avo Dobri aŭ aŭdis ian bruon. La vulpo flirtis voston kaj eniris la arbaron.

Sur la herbejo restis Arabo. La hundo turnis sin. Avo Dobri eliris el la arbusto kaj proksimiĝis al Arabo. La hundo staris senmova kaj rigardis lin. En ĝiaj okuloj brilis kulpo. La hundo eble konsciis kion ĝi faris. Nun avo Dobri forte koleriĝis kaj komencis krii:

–Hontu! Anstataŭ gardi la domon, vi faras amon! Nun mi pafmortigos vin! Mi nutras vin kaj vi permesas al vulpo eniri la kokinejon!

Arabo staris senmova. Eble nun ĝi travivis ian feliĉan momenton kaj por ĝi estis tute egale kio okazos. Tio pli forte kolerigis la maljunulon. Li levis la fusilon, alcelis Arabon, sed li ne havis forton pafi. Avo Dobri ĝemspiris, metis la fusilon sur la ŝultron kaj ekiris al la vilaĝo.

마지막 미소

야나의 엄마는 야나가 열다섯 살 때 세상을 떠났습니다. 엄마를 땅에 묻은 1월의 어두운 날을 야나는 아직도 기억하고 절대 잊지 않을 것입니다.

장례식에 참석 한 사람은 거의 없었습니다.

엄마의 여자 친척과 이웃 여자 몇 명에 아빠의 사촌 두 명이 참석했습니다.

무덤을 판 사람들이 관을 들어서 무덤으로 가져갔습니다.

야나는 마지막으로 엄마의 창백한 얼굴을 보았습니다.

엄마는 웃으며 서둘러 다른, 더 나은 세상으로 간 것처럼 보였습니다

이 순간 갑자기 든 생각은 뜬금없고 끔찍했습니다.

이 생각을 잊어버리고 마음 어딘가에 깊이 숨기려고 했지만 그러지 못했습니다.

엄마를 기억할 때마다 이 생각이 항상 헤엄쳐 나왔습니다.

엄마의 창백하고 차디찬 얼굴에서 다시 미소를 본 것처럼 이 세상을 더 빨리 떠나려는 엄마의 소망을 보았습니

다.

아무에게도 자신의 느낌을 말하지 않았습니다.

장례식이 끝나고 아빠와 함께 집으로 돌아와, 눈 덮인 마당을 보면서 오랫동안 창가에 서 있었습니다. 키가 큰 검은 색의 십자가를 닮은 나무를 쳐다보면서 엄마 없이 이제 어떻게 살 것인지 고민했습니다.

집안의 비어있는 방 두 개는 너무 크고 추웠습니다.

건설 노동자인 아빠는 열심히 일했고, 부모님은 좋은 아빠와 엄마가 되려고 노력했지만, 항상 잘 된 것은 아닙니다

아빠는 종종 저녁 늦게 일터에서 돌아와 TV 앞에 앉았습니다. 몇 분 후 고개를 숙이고 잠들었습니다. 그러면 야나는 오래된 모직 침낭을 가지고 아빠를 덮고, TV와 전등을 조용하게 손끝으로 끈 뒤 방을 나왔습니다.

6월 초순 어느 저녁에 아빠는 평소보다 일찍 집에 돌아왔습니다. 나일론 가방에 살라미 소시지, 돼지고기, 바나나를 가지고 왔습니다. 야나는 놀라서 쳐다봤습니다. 정말로 가끔 아빠는 그만큼의 먹을 것을 사 왔습니다. 보통은 야나에게 돈을 주면 야나가 필요한 먹을 것을 샀습니다. 저녁을 먹기 전에 아빠가 말씀하셨습니다.

"앉아서 이야기를 나누자."

걱정스럽게 아빠를 바라보았습니다.

엄마가 돌아가신 뒤 둘은 거의 대화하지 않았습니다.

오직 저녁에 때때로 전기나 물에 대한 요금을 냈는지 학

교에서 시험을 보았는지 물어보았습니다.

지금 아빠는 야나와 함께 이야기하고 싶어 분명히 준비한 듯했습니다.

엄숙하고 즐겁게 대화하기를 진짜 원한 듯 보였습니다.

굳은 표정으로 탁자 옆 아빠 앞에 앉아 쳐다보았습니다.

강한 근육질의 팔과 석탄처럼 검은 눈을 가진 거구의 아빠는 마음씨 착한 큰 곰을 닮아, 조금 느리고 어수선했습니다.

아마도 용기를 내려고 브랜디를 잔에 따른 뒤, 술 취하지 않으려고 살라미 소시지 조각을 포크로 찔러 브랜디를 마시고 야나를 쳐다보았습니다.

야나는 고개를 숙이고 앉아 있었습니다.

"한 달 뒤면 8학년이 끝나는구나."

천천히 아빠가 말을 시작했습니다.

"무엇을 더 배우고 싶니?"

야나는 생각에 잠겼습니다.

대화가 여기에 관한 것인지 기대하지 않았습니다.

더 배우고 싶지만, 아직 무엇을 할 것인지 결정하지 않아 아빠에게 대답할 수 없었습니다.

"생각하지 않았니?"

"예" 야나는 솔직하게 대답했습니다.

"네가 원하는 것을 배울 수 있도록 내가 가능한 모든 일을 하리라고 알고 있지?"

"예."

"내 생각에는 케미야 기술 교육원에서 배우면 가장 좋겠구나.

나중에 케미야 연구실에서 일할 수 있어.

일도 어렵지 않고 젊은 아가씨에게 적당해.

네 엄마도 그 일을 했단다."

"좋아요." 야나는 동의했습니다.

그렇게 아빠는 야나가 무엇을 배워야 할지 정해주었습니다.

케미야 기술 교육원 입학이 허락되어 가을에 학생이 되었습니다.

공부하면서, 집에 대해서도 신경을 썼습니다.

아빠는 일하느라 야나에게 더 시간을 낼 수 없었습니다.

전처럼 거의 대화도 하지 않고 지냈습니다.

한번은 모르는 여자가 아빠에게 전화했습니다.

"쟈피로브 씨인가요?"

"예"

"저는 엘레노마입니다. 야나가 다니는 교실의 책임자인데 따님 문제로 만나서 상의할 것이 있습니다. 언제 학교에 오실 수 있나요?"

"오늘이요."

이날 저녁 아빠는 더 빨리 집에 돌아왔고, 야나는 뭔가 기분 나쁜 일이 일어날 것을 금세 알아챘습니다.

아빠의 얼굴은 어두웠고 짙은 눈썹이 석탄같이 검은 눈에 무거운 그림자를 만들었습니다.

야나에게 다시 대화하자고 말했습니다.

그러나 전에처럼 무엇을 사 오지는 않았습니다.

아빠와 야나는 빈 탁자를 사이에 두고 마주 앉았습니다.

"어느 학교에서 배우고 있니?"

야나는 아빠가 모든 것을 알고 있다고 곧 눈치챘습니다.

"단과대학입니다."

"그러면 케미야 기술 교육원은 아니니?"

"그곳을 떠나 단과대학에 등록했습니다."

"언제?"

"2학기 때요."

"왜?"

"케미야 기술 교육원이 마음에 안 들었어요."

"왜 말하지 않았니?"

"아빠를 성가시게 하기 싫어서요. 정말 아빠는 내가 원하는 것을 배울 수 있도록 모든 것을 해 주신다고 말씀하셨어요."

"그래, 그런데 오늘 교실 책임자가 전화해서 학교로 나를 불렀단다. 나는 케미야 기술 교육원에 갔었지. 거기에 엘레노마라는 이름의 교사가 없었어."

"예, 맞아요."

"아직 내가 모르는 것이 있니?

교실 책임자인 엘레노마 선생이 나하고 무엇을 상의하자고 하는지 말해 주거라."

"잘은 모르지만, 아빠를 알고 싶어서 일 거예요."

"단지 그것뿐이라면 좋겠구나.

내일 단과대학에 있는 교실로 갈게."

엘레노마 선생님은 젊지 않았습니다.

50살 정도로 보이고. 은색 머리카락을 가지고 키는 작았습니다.

밝고 좋은 눈길로 야나의 아버지를 주의 깊게 쳐다보았습니다.

"야나에 대해 말씀드리려고 오시라고 했습니다."

"예"

"야나는 2학기 초부터 우리 교실에서 배우고 있습니다.

열심히 공부해서 평가는 거의 만점입니다.

다만 가끔 수업 시간에 빠집니다.

야나와 이야기를 나눠 보고 놀랐습니다. 일주일에 3일 수, 금, 토요일에 야나가 어느 카페에서 아르바이트로 일하고 있습니다. 그 사실을 알고 계십니까?"

"처음 들었습니다." 아버지는 놀라서 대답했습니다.

"예, 짐작대로군요. 부인이 돌아가시고 야나하고 대화하기가 쉽지 않다는 것은 압니다."

"저 역시 힘듭니다. 엄마와 딸은 더 쉽게 대화합니다."

"도와드리고 싶습니다.

야나가 얼마나 열심히 배우고 일하고 집안일을 잘 하고 있는지 칭찬하고 싶습니다."

"몰랐습니다. 가끔 저와 대화를 나누지만, 매우 말이 없는 성격입니다."

"두 분을 돕고 싶습니다."

다시 엘레노마 선생님이 말했습니다.

저녁에 식탁에 여러 가지 맛있는 음식을 차렸습니다.

아빠는 다시 잔에 브랜디를 따르고 포크로 살라미 소시지를 찍어 브랜디를 한 모금 마시고 쳐다보며 물었습니다.

"왜 일하고 있니?"

"맘에 들어서요." 간단하게 대답했습니다.

"엘레노마 선생이 너는 공부를 잘 하지만 때때로 수업에 빠진다고 말하더라."

"다시는 안 빠질게요."

"선생님이 너를 칭찬하더라." 아빠는 조그맣게 웃었습니다.

아마 아직도 뭔가 더 말하고 싶었지만 입을 다물었습니다.

야나는 아빠를 쳐다보면서 작은 웃음 때문에 창백한 엄마의 얼굴과 엄마를 묻기 전에 짧은 순간 본 미소가 다시 생각났습니다.

지금 야나는 그때 엄마가 '너는 잘 해낼 거야. 믿는다.'라고 아마 속삭이고 싶었음을 깨달았습니다.

8. LA LASTA RIDETO

La patrino de Jana forpasis, kiam Jana estis dek kvin jara. Jana ankoraŭ memoris kaj neniam forgesos la malhelan januaran tagon, kiam oni enterigis la patrinon. Malmultaj homoj estis ĉe la entombigo: parencino de la patrino, kelkaj najbarinoj kaj du kuzoj de la patro. Kiam la tombofosistoj levis la ĉerkon kaj ekportis ĝin al la tombo, Jana lastan fojon vidis la palan vizaĝon de la patrino kaj ŝajnis al Jana, ke patrino ridetas kaj rapidas ekiri al alia, pli bona mondo.

Tiu ĉi penso, kiu subite ekbrilis en Jana en tiu ĉi momento, estis maldeca kaj terura. Jana provis forgesi kaj kaŝi ĝin ie profunde en sia animo, sed ne sukcesis. La penso elnaĝis ĉiam, kiam Jana rememoris la patrinon kaj kvazaŭ vidis denove la rideton sur ŝia pala glacia vizaĝo kaj la deziron de la patrino pli rapide forlasi tiun ci mondon. Al neniu Jana konfesis tiun ĉi sian senton.

Kiam Jana kaj la patro revenis hejmen, post la enterigo, Jana longe staris ĉe la fenestro, rigardis la neĝan korton kaj la nigrajn arbojn en ĝi, kiuj similis al altaj nigraj krucoj kaj demandis sin kiel ŝi vivos plu sen la patrino. La du ĉambroj en la domo aspektis grandegaj, malplenaj kaj malvarmaj. La patro de Jana, konstrulaboristo, laboris multe kaj klopodis esti kaj patro, kaj patrino, sed ne ĉiam sukcesis. Ofte li revenis de la laborejo malfrue vespere, sidis antaŭ la televidilo, kaj post kelkaj minutoj klinis kapon kaj ekdormis. Tiam Jana prenis la malnovan lanan dormkovrilon, kovris lin, estingis la televidilon, la lampon kaj senbrue, fingropinte eliris el la ĉambro.

Iun vesperon en la komenco de junio la patro revenis pli frue hejmen kaj en nilona saketo portis salamon, ŝinkon, bananojn··· Jana rigardis lin mire. Tre malofte li aĉetis tiom da nutraĵo. Kutime li donis monon al Jana kaj ŝi aĉetis ĉion necesan por la nutrado. Nun, antaŭ la vespermanĝo la patro diris:

- Ni sidiĝu kaj parolu.

Jana alrigardis lin maltrankvila. Post la forpaso de la patrino ili malofte konversaciis. Nur vespere de tempo al tempo la patro demandis ĉu ŝi pagis la sumon por kurento, por akvo aŭ ĉu oni ekzamenis ŝin en la lernejo··· Kaj nun li deziris paroli kun ŝi, kaj evidente li preparis sin por tiu ĉi konversacio, ja li aspektis solene kaj feste kaj ĉio sugestis, ke li serioze deziras konversacii kun Jana. Rigida Jana sidis apud li ĉe la tablo kaj rigardis lin. Korpulenta kun fortaj muskolaj brakoj kaj nigraj kiel karbo okuloj, la patro similis al granda bona urso, iom malrapida kaj konfuzita. Eble por kuraĝigi sin, li verŝis brandon en sian glason, malgraŭ ke li evitis trinki, pikis per la forko peceton da salamo, trinkis iom da brando kaj alrigardis Janan. Ŝi sidis klinita la kapon.

- Post monato vi finos la okan klason - komencis la patro malrapide. - Kion vi deziras lerni plu?

Jana enpensiĝis. Ŝi ne atendis, ke la konversacio estos pri tio. Ja, ŝi deziras lerni plu, sed ankoraŭ ne decidis kion kaj ne povis respondi al la patro.

- Ĉu vi ne pensis pri tio?

- Ne - konfesis Jana.

- Vi scias, ke mi faros ĉion eblan, por ke vi lernu, kion vi deziras.

- Jes.

- Mi opinias, ke por vi plej bone estos, se vi lernos en la Kemia Tekniklernejo. Poste vi laboros en kemia laborastorio, kie la laboro ne estas malfacila kaj konvenas por knabino. Ankaŭ via patrino laboris tion.

- Bone – konsentis Jana.

Tiel la patro decidis kion ŝi lernu. Oni akceptis Janan en la Kemia Tekniklernejo kaj aŭtune ŝi estis lernantino. Jana lernis, zorgis pri la domo, la patro laboris kaj havis pli malmulte da tempo por ŝi. Kiel antaŭe ili preskaŭ ne konversaciis.

Foje nekonata virina voĉo telefonis al la patro.

- Ĉu sinjoro Zafirov? – demandis la virino.

- Jes – respondis li.

- Mia nomo estas Elenova, mi estas klasestrino de Jana kaj ŝatas, ke ni renkontiĝu kaj parolu pri Jana. Kiam vi povas veni en la lernejon?

- Hodiaŭ – respondis la patro.

* * *

Ĉivespere la patro revenis pli frue hejmen kaj Jana tuj komprenis, ke okazis io malagrabla. Lia vizaĝo estis malhela kaj la densaj brovoj ĵetis pezan ombron sur liajn karbonigrajn okulojn. La patro denove diris, ke li deziras konversacii kun

Jana, sed nun li nenion estis aĉetinta, kiel pasintfoje. Ŝi kaj li sidis unu kontraŭ la alia ĉe la malplena tablo.

– En kiu lernejo vi lernas? – demandis la patro.

Jana tuj komprenis, ke li jam ĉion scias.

– En la gimnazio – respondis ŝi.

– Do, vi ne estas en la Kemia Tekniklernejo?

– Ne. Mi forlasis ĝin kaj mi enskribiĝis en la gimnazio.

– Kiam?

– En la dua semestro.

– Kial?

– La Kemia Tekniklernejo ne plaĉis al mi.

– Kial vi ne diris al mi?

– Mi ne deziris maltrankviligi vin. Ja, vi diris, ke vi faros ĉion, por ke mi lernu kion mi deziras.

– Jes, mi diris, sed hodiaŭ telefonis via klasestrino kaj vokis min en la lernejon. Mi iris en la Kemia Tekniklernejo, sed tie instruistino, kiu nomiĝas Elenova ne estas.

– Jes, ne estas.

– Diru, kion mi ankoraŭ ne scias pri vi kaj kial via nova klasestrino Elenova deziras konversacii kun mi.

- Mi ne scias, eble ŝi deziras konatiĝi kun vi.
- Mi esperu, ke estas nur tio. Morgaŭ mi iros en vian novan lernejon, en la gimnazio.
- Bone.

Elenova ne estis juna, verŝajne kvindek jara, malalta kun arĝentkolora hararo kaj rigardis atente la patron per siaj helaj bonaj okuloj.
- Mi vokis vin, ke ni parolu pri Jana – diris Elenova.
- Jes – kapklinis la patro.
- Jana lernas en nia gimnazio de la komenco de la dua semestro. Ŝi bone lernas, ŝiaj pritaksoj estas preskaŭ perfektaj, sed de tempo al tempo ŝi forestas de la lernohoroj. Mi parolis kun ŝi kaj mire mi komprenis, ke tri tagojn en la semajno: merkredo, vendredo kaj sabato, Jana laboras kiel servistino en iu kafejo. Ĉu vi scias tion?
- Unuan fojon mi aŭdas tion – respondis la patro mirigita.
- Jes, mi supozis. Mi scias, ke via edzino forpasis kaj por Jana estas malfacile konversacii kun vi.
- Ankaŭ por mi estas malfacile. Patrino kaj filino pli facile konversacias.

- Mi provos helpi al vi – diris Elenova. - Mi admiras Janan. Kiel ŝi havas fortojn lerni, labori, zorgi pri la domo···
- Mi ne scias – respondis la patro. - Ŝi malofte parolas kun mi, ŝi estas ege silentema···
- Mi helpos ŝin kaj vin – diris denove Elenova.
Vespere sur la tablo estis pluraj bongustaj manĝaĵoj. La patro denove verŝis en sian glason iom da brando, pikis per la forko salampeceton, trinkis gluton da brando, alrigardis Janan kaj demandis:
- Kial vi laboras?
- Tio plaĉas al mi – respondis Jana simple.
- Elenova diris, ke vi bone lernas, sed de tempo al tempo vi forestas de la lernejo.
- Mi ne plu forestos.
- Elenova admiras vin··· - kaj la patro ekridetis.
Eble li deziris diri ankoraŭ ion, sed eksilentis. Jana alrigardis lin kaj lia rideto memorigis ŝin pri la pala patrina vizaĝo kaj pri la rideto, kiun Jana kvazaŭ vidis sekundojn antaŭ la enterigo de la patrino, kaj nun Jana komprenis, ke tiam la patrino verŝajne deziris flustri al ŝi: "Vi sukcesos. Mi kredas.".

타냐의 자살

"빅토르. 타냐는 이제 겨우 20살밖에 안 됐어요.
당신은 왜 그렇게 행동했나요?"
밀레나는 속삭이며 머리를 옆으로 돌렸습니다.
빅토르는 운전하면서 조용했습니다.
'무엇을 말할까 어떻게 설명할까?'
밀레나는 들으려고도 원하기조차 않았습니다.
이미 이틀에 걸쳐 집에 있는 전화기에서는 벨 소리가 쉴
새 없었습니다.
빅토르는 수화기를 들지 않고, 항상 밀레나가 들어 차가
운 소리로 말했습니다.
"여보세요!"
상대편에서 무언가를 물었습니다.
"아니요! 키테브박사가 여기 살지 않아요." 대답하고 빅
토르를 쳐다봤습니다.
그러나 빅토르는 소파 위에 앉아 TV를 보면서 움직이지
않았습니다.
빅토르와 밀레나는 서로 말하지 않고 집에서 그림자처럼
있었습니다.

아침에 둘은 서로 모르는 동거인처럼 욕실 앞에서 자기 차례를 기다렸습니다.

먼저 밀레나가 욕실에 들어가고 샤워기 물소리가 샤 하고 소리가 나는 동안 빅토르는 테라스에 있는 작은 탁자에 앉아 커피를 마시며 담배를 피웠습니다.

가을날 해가 검은 구름 사이로 비쳤습니다. 해는 잠깐 나타나 마치 무거운 커튼 뒤로 숨듯이 다시 사라졌습니다.

얼마나 오랫동안, 한 시간이나 하루 거기 머물지 아무도 모릅니다.

집 주위는 손으로 그린 예술 작품을 닮았습니다.

회색으로 그린 우중충한 도시 풍경, 그 배경 위에는 제각각으로 생긴 고층건물들, 앙상한 가지를 가진 검은 빛의 나무들, 빠르게 사람을 나르는 전차들이 보입니다.

빅토르는 탁자에 앉아 담배를 피우며 밖을 쳐다보았습니다.

하지만 그 풍경이 낯설게만 느껴졌습니다.

어디 먼 상상의 점에 생각을 고정하였습니다.

밀레나가 욕실에서 나왔습니다. 문이 열리고 방으로 들어가는 소리를 빅토르는 들었습니다.

밀레나는 수건을 들고 하얗고 부드러운 욕실용 가운을 걸쳤습니다.

몇 발자국 떼어 옷장 앞에 서서 머리를 말렸습니다.

작은 수건으로 검은 새의 날개를 닮은 머리카락을 말렸

습니다.

물방울이 이슬처럼 평평한 이마에 맺혔습니다.

눈썹이 젖었습니다.

푸른 눈으로 천장을 쳐다 봅니다.

등지고 테라스에 앉아있는 빅토르를 쳐다보지 않습니다.

방에서뿐만 아니라 집에서도 혼자 있는 것처럼 움직입니다.

머리와 얼굴을 말린 후에 천천히 욕실용 외투를 벗어 의자에 던져 놓았습니다.

벗은 채로 말입니다.

빅토르는 쳐다보지 않지만, 이 순간 밀레나의 벗은 몸이 박하 향기 나면서 얼마나 매력적인지 느낍니다. 어깨, 유방, 배, 넓적다리가 얼마나 매끈하고 둥근지 빅토르는 밀레나 몸의 따뜻함을 느낍니다.

밀레나는 몸을 말린 뒤 옷을 입기 시작합니다.

속바지, 브래지어, 블라우스, 치마를 걸칩니다.

옷을 입는 이런 의식을 천천히 하면서 정확하게는 빅토르를 자극하려 하는 듯 보입니다. 비록 등지고 있지만, 빅토르가 자신의 움직임을 느끼고 있음을 잘 알고 있습니다.

옷을 입고 테라스로 나왔습니다.

"커피 준비했어요." 빅토르가 말했지만 밀레나는 조용했습니다.

커피 봉지를 들고 잔에 커피를 채운 뒤 탁자에 앉았습니다.

담배에 불을 붙이고 해가 숨어 있는 잿빛 구름을 쳐다보았습니다. 아마 이 순간에 밀레나는 해가 무거운 구름 뒤에 숨어서 온종일 있을 것인지 나올 것인지 궁금했습니다.

밀레나는 커피를 다 마시고 일어나서 방에 있는 거울로 가 화장을 시작합니다.

화장용 연필로 눈과 젖어 부드러운 입술의 깊이를 강조합니다.

다음에 비옷 외투를 입고 손가방을 들고 나갑니다.

'안녕'이나 '다음에 또 봐' 하는 말도 없이 빅토르를 쳐다보지도 않습니다.

빅토르는 먼 상상의 점을 쳐다보면서 테라스 작은 탁자에 앉아 있습니다.

이제 조용함을 느낍니다.

적막이 무겁게 다가옵니다.

벌써 시간이 되어 빅토르 역시 준비해야 합니다.

욕실로 들어가 씻고 면도를 하지만 자동으로 합니다.

생각은 어딘가를 헤엄치고 있습니다.

무슨 생각을 하고 있는지 확실하지 않습니다.

양심을 지나 갖가지 말과 얼굴, 지나간 날들이 뛰어갑니다.

지친 것을 느낍니다.

속옷, 바지, 넥타이, 웃옷을 입었습니다.

불편한 금속 옷에 갑옷을 입은 듯했습니다.

집을 나왔습니다.

밖에는 해가 조금 구름을 뚫고 누런 전등처럼 매우 높이 어딘가를 비추고 있습니다.

저녁에도 똑같은 일이 일어납니다.

밀레나가 빅토르보다 먼저 일터에서 돌아옵니다.

방에 TV 앞에 앉아서 뉴스를 봅니다.

빅토르가 문을 열고 들어옵니다.

'안녕'하고 말합니다.

그러나 밀레나는 대답하지 않고 쳐다보기조차 않습니다.

밀레나 곁에 서서 말을 걸거나 뭔가 물어보고 싶습니다.

신문에서 기자들이 쓰듯이 TV에서 사람들이 말하듯 그렇지 않다고 다시 설명해야 합니다.

이미 수백 번이나 모든 것을 말했지만 밀레나는 듣지 않고, 계속 싫은 듯 역겨운 듯 쳐다봅니다.

빅토르는 기념비처럼 방 가운데 섰습니다.

무엇을 해야 할지 모르겠습니다.

아무 생각이 없습니다.

TV를 보기도, 라디오를 듣기도, 책을 읽기도 싫습니다.

방에 있는 탁자로 가니 탁자 위에 어느 신문이 놓여있음을 알아챘습니다.

꼭 보라는 듯이 그렇게 탁자 위에 놓여있습니다.

첫 페이지에 큰 글씨로 이렇게 쓰여 있습니다.

'교수에게 버림받은 여학생, 나중에 자살하다.'

빅토르는 참을성 없이 말합니다.

"구역질 나는 거짓말이야."

신문을 들고 찢었습니다.

밀레나는 고개를 돌리고 미운 듯 빅토르를 쳐다보았습니다.

빅토르는 밀레나 앞에 섰습니다.

"이것은 나를 반대하는 구역질 나는 공격이야.

내 인생을 파괴하고 무효시키려고 원하는 반대자들이 잘 짜놓은 저질의 기사야." 라고 다시 말하고 싶었습니다.

아마 원한다는 단어가 정확하지 않습니다.

벌써 많이 무효화 되었습니다.

삶도, 가족 역시 찢어졌습니다.

아직 내게 무엇이 남았는가?

누군가 높은 계단으로 밀어 지금 멈추지 않고 계단 위로 굴린다고 끔찍하게 느꼈습니다.

얼마나 오랜 시간이 걸릴지 아무도 모릅니다.

계단은 매우 높습니다.

이해하고 믿어줄 유일한 사람은 아내 밀레나뿐입니다.

그러나 모든 삶에서 결코 본 적이 없는 것처럼 쳐다보기조차 원하지 않고 있습니다.

빅토르는 둘이 모두 학생이었을 때 밀레나를 알게 되었습니다.

겨울에 개처럼 벌벌 떨면서 작은 다락방에서 그 당시 살았습니다.

숄이 있는 외투를 입은 채 시험공부를 했습니다. 저녁에 작은 침대에 들어갈 때면 조금이라도 따뜻하게 하려고 서로 세게 껴안았습니다.

빅토르는 추위에 떠는 참새 같은 밀레나의 작은 손을 잡고 입으로 따뜻하게 데워 주었습니다.

그때는 리듬 있게 숨 쉬는 공통의 심장을 가진 것처럼 한 사람이었습니다.

언젠가 빅토르가 잘 지내지 못하고 열이 있어 미루나무처럼 떨었습니다. 밀레나가 모든 이불을 모아 덮어주었지만 열 때문에 계속 이빨을 부딪치며 덜덜 떨었습니다. 차를 끓여 집에 있는 유일한 치료제 아스피린과 함께 주었습니다. 그리고 의사를 찾으러 갔습니다. 20분 뒤 의사와 함께 돌아왔습니다. 빅토르는 밀레나가 어디에서 의사를 찾았는지 모릅니다.

아마 집에서 쉬고 있는데 밀레나가 오도록 설득시키는 데 성공한 것입니다.

의사가 처방전을 쓰고 밀레나는 바로 약을 사러 나갔습니다. 돌아와서 차를 끓이고 치료제를 주고 모든 시간 침대 옆에 앉아 뜨겁게 땀 흘리는 빅토르의 이마를 적셔주었습니다.

지금은 보거나 듣기조차 원하지 않습니다.

"우리 저녁 먹을까?" 빅토르가 물었습니다.

"배고프지 않아요."

밀레나가 거칠게 대답했습니다.

빅토르는 부엌으로 가 보드카 병을 들었습니다.

잔에 조금 따르고 탁자 옆에 앉았습니다.

그러나 빅토르는 술은 마시지만 즐길 생각은 없습니다.

술을 절대 좋아하지 않습니다.

혼자 마시지도 않습니다.

친구와 함께 있을 때 조금 마십니다.

그러나 혼자는 절대 안 마십니다.

지금 한 모금이라도 마셔보려고 하지만 잔을 두고 냉장고 안을 살폈습니다.

저녁 거리가 아무것도 없습니다.

어제 밀레나는 온종일 무엇을 먹었을까? 안 먹었을까?

빵을 여러 조각으로 자르고 버터를 바르고 빵 위에 살라미 조각을 두 개 얹었습니다.

아마 이 정도면 충분합니다.

보드카가 가득 찬, 마시지 않은 잔을 들고 부엌 탁자에 조금 더 머물렀습니다.

뒤에 일어나서 전등을 끄고 침실로 갔습니다.

밀레나는 다른 방에서 TV 앞에 있는 소파에서 자고 있습니다.

빅토르는 옷을 벗고 어두운 방에 누워있습니다.

천장을 쳐다보았습니다.

밖에는 가로등이 희미하게 레몬 빛을 비추고 있습니다.

빅토르는 창문 커튼을 좋아하지 않습니다.

절반 정도로 밝은 곳에서 자는 습관이 있습니다.

그러나 밀레나는 완전히 어두운 방에서만 잘 수 있습니다.

그래서 침대로 들어가기 전에 두 개의 두꺼운 창문 커튼을 열심히 정확하게 항상 쳤습니다.

빅토르는 누워 타냐에 대해 생각했습니다.

그 일이 어떻게 일어났는지 알 수 없습니다.

타냐는 빅토르가 가르치는 학생이었고 자살했습니다.

높은 집 15층에서 뛰어내렸습니다.

타냐가 빅토르를 사랑해서 자살했다고 사람들이 말합니다.

신문이 그렇게 쓰고 TV가 보도했습니다.

타냐가 자살하는 날 빅토르 집의 전화기는 울리기를 멈추지 않았습니다.

빅토르가 타냐를 몇 번 만난 것은 사실입니다.

졸업에 관해 상담했고 타냐는 대학에 있는 교수연구실에 와서 졸업 관련해서 문제를 상의했습니다.

빅토르는 깨어났습니다. 머리가 무거웠습니다.

커피를 타려고 부엌으로 갔다가 커피가 준비된 것에 놀랐습니다.

오늘은 밀레나가 먼저 일어나서 그것을 준비했습니다.

빅토르는 찻잔에 커피를 따르고 마시기 위해 테라스로 나가서 오늘의 첫 번째 담배에 불을 붙였습니다.

밀레나는 벌써 테라스에 있습니다.

매우 일찍 일어난 듯했습니다. 머리카락이 젖어있는 것

을 보니 이미 목욕도 마쳤습니다.

밀레나는 옷을 입고 나갈 준비를 했습니다.

빅토르는 조용히 앉아서 담배에 불을 붙이고 창문 밖을 쳐다보았습니다.

오늘은 날이 분명히 더 밝습니다.

무거운 구름은 이미 없어졌고 해가 빛납니다.

약한 바람이 붑니다.

해가 빛나는 가을날입니다.

갑자기 밀레나가 말했습니다.

"같이 나가야 해요."

빅토르는 머리를 들고 놀라서 밀레나를 보았습니다.

"어디로?" 하고 물었습니다.

"오늘이 타냐 장례식이에요."

빅토르는 무감각하게 밀레나를 쳐다보았습니다.

"당신은 그 학생의 교수니 참석해야 해요."

밀레나가 말했습니다.

빅토르는 당황해서 무엇이라고 대답할지 몰랐습니다.

"함께 갈게요." 밀레나가 말했습니다.

둘 다 집에서 나와 차를 탔습니다.

빅토르가 운전했습니다.

밀레나는 옆자리에 앉았습니다.

둘은 어디 먼 상상의 지점, 두 개의 다른 방향을 쳐다봅니다.

9. LA MEMMORTIGO DE TANJA

-Viktor, ŝi estis nur dudekjara. Kial vi agis tiamaniere? - flustras Milena kaj turnas sian kapon flanken.

Viktor ŝoforas kaj silentas. Kion li diru. Kiel klarigi al Milena. Ŝi eĉ ne deziris aŭskulti lin. Jam du tagojn la telefono hejme ne ĉesis sonori. Viktor ne levis la aŭskultilon, sed Milena levis ĝin kaj ĉiam per glacia voĉo ŝi diris:

-Halo.

De alia flanko oni ion demandis ŝin.

-Ne. Ĉi tie ne loĝas profesoro Kitev - respondis ŝi kaj rigardis al Viktor, sed li senmova sidis sur la kanapo, strabanta la televidilon. Li kaj Milena estis kiel ombroj en la domo, kiuj ne parolis unu kun alia.

Matene ili atendis unu la alian antaŭ la banejo kiel kunloĝantoj, kiuj ne konas unu la alian. Unue en la banejon eniris Milena kaj dum la akvo el la duŝo susuris, Viktor sidis ĉe la eta tablo sur la teraso, trinkis kafon kaj fumis.

La aŭtuna suno provis trabori la grizajn nubojn. La suno aperis por sekundo kaj denove malaperis, kvazaŭ ĝi kaŝis sin malantaŭ peza kurteno kaj neniu sciis kiom longe ĝi restos tie, ĉu tutan horon, aŭ eble dum la tuta tago. La ĉirkaŭaĵo ĉirkaŭ la domoj similis al grafikaĵo. Estis prema urba pejzaĝo, pentrita grizkolore sur kies fono strange elstaris la multetaĝaj domoj, la nigraj arboj kun nudaj branĉoj, la trapasantaj rapide tramoj. Viktor sidis ĉe la tablo, fumis kaj rigardis ekstere, tamen foje-foje li sentis, ke li ne observas la pejzaĝon, sed lia rigardo fiksas ian malproksiman imagitan punkton.

Milena eliris el la banejo. Li aŭdas kiel ŝi malfermas la pordon kaj eniras la ĉambron. Ŝi surhavas blankan molan banmantelon kun kapuĉo. Milena faras kelkajn paŝojn, ekstaras ĉe la vestoŝranko kaj komencas sekigi sin. Ŝi deprenas la kapuĉon kaj per eta tuko atente sekigas sian nigran hararon, kiu similas al nigra birda flugilo. Akvaj gutoj rosigas ŝian glatan frunton. Ŝiaj brovoj estas malsekaj. Ŝia blua rigardo vagas al la plafono. Milena ne rigardas Viktoron, kiu sidas sur la teraso, dorse al ŝi. Ŝi kondutas tiel, kvazaŭ ŝi estas sola ne nur en la ĉambro, sed en la tuta domo. Post la sekigo de la hararo kaj la vizaĝo, Milena malrapide demetas la banmantelon kaj ĵetas ĝin sur la seĝon. Ŝi restas nuda. Viktor ne rigardas ŝin, sed en tiu ĉi momento li sentas kiom alloga estas ŝia nuda korpo, kiu odoras je mento. Kiom glataj kaj rondaj estas ŝiaj ŝultroj, ŝiaj mamoj, ŝia ventro, ŝiaj femuroj. Viktor sentas la varmon de ŝia korpo.

Milena sekigas sian korpon kaj komencas vesti sin. Ŝi surmetas la kalsonojn, la mamzonon, la bluzon, la jupon⋯ Ŝajnas al Viktor, ke tiun ĉi riton de la vestado ŝi faras malrapide kaj precize por inciti lin. Milena bone scias, ke eĉ dorse Viktor bone sentas ĉiun ŝian movon. Jam vestita, ŝi eliras sur la terason.

–La kafo estas preta – diras Viktor, sed Milena silentas.

Ŝi prenas la kafujon kaj plenigas sian glason per kafo kaj eksidas ĉe la tablo. Ŝi bruligas cigaredon kaj alrigardas la grizajn nubojn, malantaŭ kiuj kaŝas sin la suno.

Eble en tiu ĉi momento ŝi demandas sin ĉu la suno aperos aŭ dum la tuta tago ĝi restos kaŝita malantaŭ la pezaj nuboj. Milena fortrinkas la kafon, stariĝas, iras al la spegulo en la ĉambro kaj komencas ŝminki sin. Per ŝminkokrajono ŝi emfazas la profundon de siaj okuloj kaj siajn humidajn molajn lipojn. Poste ŝi vestas sian pluvmantelon, prenas sian mansakon kaj eliras. Ŝi diras ne "ĝisrevido", nek "adiaŭ" kaj eĉ ne alrigardas Viktoron. Li restas sidi sur la teraso ĉe la eta tablo, rigardante al ia malproksima imagita punkto. Nun li eksentas la silenton. La silento kvazaŭ pezas. Jam estas tempo, ke ankaŭ li preparu sin. Li eniras la banejon, baniĝas, razas sin, sed ĉion li faras aŭtomate. Liaj pensoj vagas ien. Li ne certas ĉu li meditas pri io, aŭ tra lia konscio trakuras nur apartaj vortoj, vizaĝoj, pasintaj tagoj…

Li sentas sin elĉerpita. Li vestas sin: ĉemizo, pantalono, kravato, jako… Li kvazaŭ kirasas sin en maloportunaj metalaj vestoj. Li ekiras. Ekstere la suno sukcesis por iom da tempo trabori la nubojn kaj nun ĝi lumas kiel flava lanterno ie tre alte.

Vespere okazas la samo. Milena antaŭ li revenas el la laborejo. Ŝi sidas en la ĉambro antaŭ la televidilo kaj spektas la novaĵojn. Viktor malfermas la pordon kaj eniras. Li diras:

-Bonan vesperon.

Sed Milena ne respondas kaj eĉ ne alrigardas lin. Li ekstaras ĉe ŝi, deziras alparoli ŝin, demandi ŝin pri io. Li devas denove klarigi al ŝi, diri, ke ne estas tiel kiel la ĵurnalistoj skribis en la ĵurnaloj kaj kiel oni diris en la televizio. Li jam centfoje rakontis ĉion al Milena, tamen ŝi ne aŭskultas lin kaj daŭre rigardas lin kun malŝato kaj naŭzo.

Li staras en la mezo de la ĉambro kiel monumento. Li ne scias kion fari. Li havas emon pri nenio, ne deziras spekti televizion, nek aŭskulti radion, nek legi. Li alrigardas al la tablo en la ĉambro kaj rimarkas sur ĝi ĵurnalon, iun tagĵurnalon. Ĝi estas tiel metita sur la tablo, ke li nepre rimarku ĝin. Sur la unua paĝo per grandaj literoj estis skribite: "Studentino estis delogita de profesoro kaj poste ŝi memmortigis sin."

Viktor ne povas reteni sin kaj diras:

-Tio estas naŭza mensogo!

Li prenas la ĵurnalon kaj disŝiris ĝin. Milena

turnas kapon kaj rigardas lin malŝate. Viktor ekstaras antaŭ ŝi. Li deziras denove diri al ŝi, ke tio ĉi estas naŭza atako kontraŭ li, ke tio estas fia kalumnio, kiun tre lerte organizis liaj kontraŭuloj, kiuj deziras ruinigi lian vivon kaj neniigi lin. Eble la vorto "deziras" ne estas preciza. Li jam estas tute neniigita. Lia vivo estas disbatita. Lia familio ankaŭ. Kio ankoraŭ atendas lin? Li havas la teruran senton, ke iu puŝis lin de alta ŝtuparo kaj nun li ruliĝas sur la ŝtupoj sen halto. Neniu scias kiom da tempo li ruliĝos tiel. La ŝtuparo estas tre alta. La sola homo, kiu devas kompreni lin, kiu devas kredi al li, estas Milena, lia edzino, sed ŝi ne deziras eĉ alrigardi lin, kvazaŭ neniam dum la tuta vivo ŝi vidis lin.

Viktor konatiĝis kun Milena, kiam ambaŭ estis gestudentoj. Tiam ili loĝis en eta subtegmenteja loĝejo, kie vintre ili frostis kiel hundoj. Li kaj Milena studis por la ekzamenoj, vestitaj en manteloj kun ŝaloj. Vespere, kiam ili enlitiĝis en la mallarĝa lito, ili forte brakumis unu la alian por iomete varmiĝi. Viktor prenis la etajn manojn de Milena, kiuj similis al frostitaj paseroj kaj varmigis ilin per sia spiro. Tiam li kaj ŝi estis kiel unu homo, ili kvazaŭ havis unu komunan koron, kiu ritme batis.

Tiam foje Viktor malbone fartis, havis febron, tremis kiel tremolo. Milena kolektis ĉiujn dormkovrilojn kaj kovris lin, sed liaj dentoj daŭre klakis pro la febro. Ŝi kuiris teon, donis al li kuracilon, aspirinon, la sola kuracilo, kiu estis en la loĝejo. Milena iris serĉi kuraciston. Post dudek minutoj ŝi revenis kun kuracisto. Viktor ne komprenis kie Milena trovis la doktoron. Eble li loĝas en la domo kaj Milena sukcesis konvinki lin veni. La doktoro perskribis kuracilojn kaj Milena tuj kuris aĉeti ilin. Kiam ŝi revenis, ŝi daŭrigis kuiri teon, doni al Viktor kuracilojn kaj dum la tuta tempo ŝi sidis apud la lito kaj karesis lian varman ŝvitan frunton. Kaj nun ŝi ne deziras eĉ rigardi lin, nek aŭdi lin.

-Ĉu ni vespermanĝos? – demandas Viktor.

-Mi ne estas malsata. – respondas seke Milena.

Viktor iras en la kuirejon kaj prenas botelon da vodko. Li verŝas iom da vodko en glason kaj eksidas ĉe la tablo. Li trinkas, sed ne havas emon trinki. Neniam li ŝatis alkoholaĵon kaj neniam emis trinki sola. Kiam li estis kun amikoj, li trinkis iomete, sed sola neniam. Nun li provas trinki ankoraŭ unu gluton, sed li lasas la glason kaj enrigardas en la fridujon. Nenio estas por vespermanĝo. Ĉu dum la lastaj tagoj Milena manĝas aŭ ne? Li tranĉas por si panpecon, ŝmiras ĝin per butero kaj metas sur la pantranĉaĵon du salampecojn. Eble tio sufiĉas. Ankoraŭ iomete li restas en la kuirejo ĉe la tablo kun netrinkita glaso, plena de vodko. Poste li ekstaras, estingas la lampon kaj iras en la dormĉambron. Milena dormas en alia ĉambro sur la kanapo, antaŭ la televidilo. Li malvestiĝas kaj kuŝas en la malluma ĉambro. Lia rigardo estas direktita al la plafono. Ekstere la stratlampoj ĵetas palan citronan lumon. Li ne ŝatas la fenestrokurtenojn. Li alkutimiĝis dormi ĉe duonlumo. Milena tamen povas dormi nur kiam en la ĉambro estas plena mallumo kaj antaŭ la enlitiĝo ŝi ĉiam diligente kaj precize tiras la du dikajn fenestrokurtenojn.

Viktor kuŝas kaj meditas pri Tanja. Li ne povas klarigi al si mem kiel okazis tio. Tanja estis lia studentino kaj ŝi memmortigis sin. Ŝi saltis de la dekkvina etaĝo de alta domo. Oni diris, ke Tanja memmortigis sin, ĉar ŝi amis Viktoron. La ĵurnaloj skribis kaj la televizio anoncis tion. En la tago, kiam Tanja memmortigis sin, la telefono en la domo de Viktor ne ĉesis sonori. Estis vero, ke Viktor kelkfoje renkontiĝis kun Tanja. Ja, li konsultis ŝin pri la diplomlaboro kaj Tanja venis en lian kabineton en la universitato por priparoli kun li la problemojn de la diplomlaboro.

Viktor vekiĝas. Lia kapo pezas. Li iras en la kuirejon por kuiri kafon, sed li miras, la kafo jam estas kuirita. Hodiaŭ Milena pli frue vekiĝis kaj kuiris ĝin. Li verŝas kafon en la tason kaj eliras sur la terason por trinki ĝin kaj bruligi la unuan cigaredon por tiu ĉi tago. Milena jam estas sur la teraso. Verŝajne ŝi tro frue vekiĝis. Ŝia hararo estas humida, do ŝi jam banis sin. Milena estas vestita kaj preta por eliri. Viktor eksidas silente kaj bruligas la cigaredon, rigardas tra la fenestro. Hodiaŭ la tago estas pli klara. La pezaj nuboj jam ne estas kaj la suno brilas. Blovas malforta vento. Estas suna aŭtuna tago.

-Ni devas ekiri - diras subite Milena.

Viktor levas kapon kaj mire alrigardas ŝin.

-Kien? - demandas li.

-Hodiaŭ estas la entombigo de Tanja.

Viktor rigardas Milenan stupore.

-Vi estis ŝia profesoro kaj vi devas ĉeesti – diras Milena.

Viktor sentas sin embarasita, li ne scias kion respondi al Milena.

-Mi estos kun vi – diras ŝi.

Ambaŭ eliras el la domo kaj eniras la aŭton. Viktor funkciigas la aŭton. Milena sidas apud li. Ili ambaŭ rigardas al du diversaj direktoj, al iuj malproksimaj imagitaj punktoj.

협상

데메트로는 가을을 좋아한다.

날이 더 시원해지고 하늘은 파란 호수에 비쳐서 더욱 맑고 나무는 횃불처럼 불타고, 모과나무, 사과나무, 밤나무의 잎들은 화려하고 포도는 좋은 냄새가 나며 묵직하다.

아침에 작업실 참나무 문이 열리기 전 데메트로는 입구에 서서 마치 일할 힘을 주는 것 같은 소나무 숲이 있는 언덕을 바라보았다.

발칸의 작은 마을에 도착한 뒤 삶은 바뀌었다.

마을 광장을 가로질러 흐르며, 밤이나 낮이나 쉬지 않고 노래하는 계곡 물소리에 흠뻑 젖어있다.

데메트로는 장교였는데 해고당했다.

주 정부는 더는 그렇게 많은 장교가 필요하지 않았다.

아내 나디아는 떠났고 데메트로는 부모님 집인 이곳을 직접 조금 수리하여 돌아왔다.

이미 학창 시절부터 나무 조각을 좋아했다.

몇 시간 동안 나무를 가지고 동물이나 꽃을 조각했다.

손에서 나무는 숨을 쉬고 사랑하는 여자처럼 떨었다.

데메트로는 새로운 성당 '성 게오르고'의 제단을 만들었고 지금은 역사박물관이 된 옛 시청의 천장을 조각했다. 그리고 조각상을 그리기 시작했다. 상점가에 작업실을 빌렸다. 거기에는 은과 금 장식품, 구리와 점토로 된 그릇을 만드는 여러 장인의 상점이 있다.

일할수록 창조하려는 욕구가 불타올라. 저녁에 상점가에서 마지막으로 작업장을 떠났다. 밤에 데메트로는 작은 나뭇가지와 꽃무늬 꿈을 꾸고 나중에 나뭇조각으로 엮어 낸다.

이제 자연의 선물이 무엇인지 알아차렸다. 그것은 뜨거운 여름날의 갈증과 닮았다. 마시고 또 마셔도 갈증을 해소할 수 없다.

가을이 시작되면 눈길은 멀리 내다보고 손은 더 힘이 세지고 단단해지며 마음은 가벼워 새처럼 하늘 높이 날아간다.

데메트로는 문을 열고 기뻐 외치듯 소리 질렀다.

작업장으로 들어가 거리를 향하고 있는 창을 활짝 열고, 나중에 파란 작업복을 걸치고 커다란 참나무 탁자에 앉았다.

오늘 호텔'플라타노'의 소유주 드라고로브가 주문한 성모상 조각을 마무리해야 한다.

드라고로브는 성당에 이 조각상을 기증하고 싶어 크고 무겁게 정통 규범에 따라 만들도록 주문했다.

조각상 위에 기대어 일하면서 데메트로는 거리의 소음을 들었다.

또 아마 작은 마을을 둘러보며 지나가는 외국인 무리일지 모른다.

데메트로는 고개를 조금 들어 외국인의 통역가가 누구인지 보려고 창밖을 바라보았다.

'넬리인가?' 2주 이상 보지를 못 해 이제 참을성 없이 기다리고 있다. 데메트로가 나이든 외국인들의 다양한 무리 속에서 넬리를 알아차리고, 손이 부드러워지고 얼굴은 빨개졌다.

넬리는 26살이나 28살로 자그마하고 계곡물의 송어처럼 활발하다.

갈색 머리카락은 맨살의 어깨를 어루만지고 아몬드 모양의 눈은 진주처럼 빛났다. 하얀 드레스는 햇볕에 그을린 아름다운 허벅지를 보여준다. 넬리는 데메트로에게 작게 찰랑거리는 생수 샘 같은 감정을 불러일으켰다. 넬리를 사랑하고 아마도 넬리 역시 자신을 사랑한다고 데메트로는 마음을 숨길 수 없었다.

1년 전에 처음으로 넬리를 보았다.

그때 넬리는 독일 관광객들과 함께 작은 마을에 왔다.

전혀 기대하지 않게 작업장 입구에 서서 물었다.

"우리가 들어가서 작업장을 둘러볼 수 있나요?"

데메트로는 독일인들을 초대하였고 그들은 조각상과 나무 조각품을 주의해서 살펴보았다.

나가기 전에 조각상과 나무 조각품을 샀다.

데메트로는 많은 돈을 벌었다.

그때부터 넬리는 자주 작은 마을에 관광객들과 함께 왔고 데메트로 작업장 보여주는 것을 잊지 않았다.

스웨덴사람, 스페인사람, 그리스 사람이 왔다.

어느 영국 사람은 영국에서 조각상 전시회를 하자고 제안하기도 했다. 일반적으로 작업장을 둘러본 뒤, 넬리는 관광객들에게 30분간 상점가를 구경하며 산책하라고 말했다.

그리고 둘은 옛날 방식에 따라 뜨거운 모래 위에서 요리한 터키 커피를 마시러 바실 아저씨가 운영하는 '우물가에서'라는 카페에 갔다.

넬리는 영국과 독일 문헌학을 마쳤다.

"나는 언어를 좋아하고 쉽게 배워요." 넬리가 말했다.

"나는 통역사가 된 것이 마음에 들어요.

끊임없이 차로 여행하고 다양한 사람들을 만나요."

데메트로는 말했다. "나는 끌을 만질 때 내 영혼이 날아가는 것 같아요. 내 손에서 나무는 밀랍처럼 부드럽고 어린아이처럼 초조하고 호기심을 가지고 그것으로부터 무엇이 만들어지는지 기다려요."

데메트로는 넬리가 자신의 말을 잘 알아듣는지 확신하지 못했다.

하지만 넬리는 감탄을 하며 바라볼 때 멋진 장미색 입술이 벌어졌다.

데메트로는 나무로 넬리의 조각상을 새길 생각이라고 말하고 싶지만, 용기가 없다.

오늘 다시 작업장 입구에 넬리가 나타났고 목소리는 구리 종처럼 울렸다.

"안녕하세요, 손님 받으시죠?"

"당연하죠, 들어오세요. 새 조각상과 나무 조각품을 만들었어요."

단체는 오스트리아에서 왔다.

모든 것을 살피더니 관광객 중 일부가 지갑을 꺼내 사기 시작했다.

"또 버시네요." 넬리가 말했다.

오스트리아 사람들이 상점가로 가을 잎처럼 흩어지고 넬리와 데메트로는 바실 아저씨 카페로 들어갔다.

넬리의 하얀 드레스가 백합처럼 떨렸다.

데메트로는 넬리에 대해 오래 생각했고 신중한 계획을 세우고 있으며 결혼을 제안하고 싶다고 말하기를 이미 결심했다.

넬리는 진한 커피를 조금 마시고 데메트로를 쳐다보았다.

"데메트로 씨, 나는 오래전부터 말하고 싶은 게 있어요." 넬리가 말하기 시작했다.

데메트로는 몸을 떨고 땀을 흘리기 시작했다.

넬리가 말하는 것을 중지시키고 자신도 오래전부터 말하고 싶었다고 말하려다가 말을 삼켰다.

감정 때문에 입술은 모래처럼 말랐다.

넬리는 계속 말했다. "내게 생각이 있어요. 나는 자주 당신에게 와요. 당신의 조각상과 나무 조각품을 외국 사람들이 좋아해요. 그래서 항상 많이 사가요."

"예."

"그리고 값을 잘 치러요." 넬리가 덧붙였다.

"나는 모든 외국인 단체와 당신 작업장에 오고 뒤에 우리는 판매수익금을 나누죠. 그렇죠?

반대하지 않으리라 생각해요." 넬리는 조그맣게 웃었다.

데메트로는 고개를 숙였다.

'넬리는 이것을 내게 말하고 싶었는가?'

데메트로는 귀를 믿을 수 없었다.

탁자 위에 커피잔을 놓았다.

반대편에는 작업장의 열린 문이 보이고 거기 큰 참나무 탁자 위에는 성모상이 데메트로를 기다리고 있다.

10. LA NEGOCO

Demetro ŝatis la aŭtunon. La tagoj iĝas pli friskaj, la firmamento pli klara, lumigita de laga blueco, la arboj fajras kiel torĉoj, la folioj de cidoniarboj, pomarboj kaj kaŝtanarboj iĝas buntaj, la vinbero estas peza de la belodora aromo.

Matene, antaŭ la malŝloso de la kverka pordo de la metiejo, Demetro ekstaris ĉe la solo kaj rigardis al la montetoj, kies pina arbaro kvazaŭ sendis al li fortojn por laboro. Post lia alveno en la balkana urbeto, lia vivo ŝanĝiĝis. Li dronis en la susuro de la montara torento, kiu fluis tra la urba placo kaj senlace ĝi kantis tage kaj nokte.

Demetro estis oficiro, sed oni maldungis lin. La ŝtato ne plu bezonis tiom da oficiroj. Lia edzino, Nadja, forlasis lin kaj Demetro revenis ĉi tien, en la gepatran domon, kiun li iom riparis. Jam kiel lernanto li ŝatis la lignogravuraĵojn. Dum horoj li ĉizis el la ligno bestojn kaj florojn. En liaj manoj la ligno spiris kaj tremis kiel fianĉino.

Demetro gravuris la altaron de la nova templo "Sankta Georgo", la plafonojn de la malnova urbodomo, en kiu nun estas la historia muzeo kaj li komencis pentri ikonojn. Sur strato "Komerca" li luis metiejon. Tie estis la vendejoj de la metiistoj, kiuj faris arĝentajn kaj orajn ornamaĵojn, ujojn el kupro kaj argilo.

Kiom da li laboris, tiom da fajris en li la deziro krei, kaj vespere li estis la lasta, kiu forlasis la metiejon sur strato "Komerca". Nokte Demetro sonĝis branĉetojn kaj vinjetojn, kiujn poste li enplektis en la lignogravuraĵojn. Nun li komprenis kio estas naturdoto. Ĝi similis al soifo en arda somera tago, oni trinkas, trinkas kaj ne povas estingi la soifon. En la komenco de la aŭtuno la rigardo vagas fore, la mano iĝas pli forta kaj pli firma, la koro estas malpeza kaj ĝi flugas alte en la ĉielo kiel birdo.

Demetro malŝlosis la pordon kaj ĝi grincis, kvazaŭ ĝojkriis. Li eniris la metiejon, malfermis larĝe la fenestron, kiu rigardis al la strato, poste li surmetis la bluan laborveston kaj sidis ĉe la granda kverka tablo. Hodiaŭ li devis finprepari la ikonon de Dipatrino, kiun mendis Dragolov, la posedanto de hotelo "Platano". Dragolov deziris donaci la ikonon al la monakejo kaj li mendis ĝin granda, peza, farita laŭ la ortodoksaj kanonoj.

Laborante, klinita super la ikono, Demetro aŭdis bruon de la strato. Eble denove estis fremdlanda grupo, kiu venis trarigardi la urbeton. Demetro iom levis la kapon kaj rigardis tra la fenestro por vidi kiu estas la interpretistino de la fremdlandanoj. Ĉu Neli? De du semajnoj li ne vidis ŝin kaj jam senpacience li atendis ŝin. Kiam Demetro rimarkis Neli en la bunta grupo de maljunaj fremdlandanoj, lia mano iĝis mola kaj lia vizaĝo ruĝa.

Neli estis dudekses aŭ dudekokjara, eta, movema kiel montara truto. Ŝia kaŝtankolora hararo karesis la nudajn ŝultrojn kaj ŝiaj migdalaj okuloj brilis kiel perlamoto. La blanka robo montris ŝiajn belajn femurojn, brunigitajn de la suno. Neli vekis en Demetro emocion, kiu similis al plaŭdeta mineralakva fonto. Li ne povis kaŝi, ke amas ŝin kaj eble ankaŭ Neli amis lin.

Unuan fojon Demetro vidis ŝin antaŭ jaro. Tiam Neli venis en la urbeton kun germanaj turistoj kaj tute neatendite ŝi ekstaris sur la sojlo de lia metiejo kaj demandis:

– Ĉu ni povas eniri kaj trarigardi vian metiejon?

Demetro invitis ilin kaj la germanoj atente trarigardis liajn ikonojn kaj lignogravuraĵojn. Antaŭ foriri ili aĉetis ikonojn kaj lignogravuraĵojn. Multe da mono ili donis al Demetro. De tiam Neli ofte venis kun turistoj en la urbeton kaj ŝi ne forgesis montri al ili la metiejon de Demetro. Venis svedoj, hispanoj, grekoj. Eĉ unu anglo proponis aranĝi en Britio ekspozicion de liaj ikonoj.

Ordinare post la trarigardo de la metiejo, Neli diris al la turistoj promenadi duonhoron tra la Komerca strato, kaj ŝi, kaj Demetro iris en la kafejon de oĉjo Vasil "Ĉe la fonto" por trinki turkan kafon, kiun oĉjo Vasil kuiris laŭ malnova maniero sur varmega sablo.

Neli estis fininta anglan kaj germanan filologiojn.

– Mi ŝatas lingvojn kaj mi facile lernas ilin – diris ŝi. – Plaĉas al mi esti interpretistino. Mi senĉese veturas, renkontas diversajn homojn.

– Kaj mi – diris Demetro – kiam mi tuŝas la ĉizilon, mia animo kvazaŭ ekflugas. En miaj manoj la ligno iĝas mola kiel vakso kaj mi kiel infano senpacience kaj scivole atendas kio formiĝos el ĝi. Demetro ne estis certa ĉu Neli bone komprenas lin, sed ŝi rigardis lin admire kaj ŝiaj malfermitaj lipoj havis mirindan rozkoloron. Demetro deziris diri al ŝi, ke li intencas gravuri ŝin el ligno, sed li ne kuraĝis.

Hodiaŭ Neli denove aperis sur la sojlo de la metiejo kaj ŝia voĉo eksonoris kiel kupra sonorilo.

- Saluton, ĉu vi akceptas gastojn?

- Kompreneble. Eniru, mi havas novajn ikonojn kaj lignogravuraĵojn.

La grupo estis el Aŭstrio. Kiam ili trarigardis ĉion, iuj el la turistoj elprenis siajn monujojn kaj komencis aĉeti.

- Vi denove gajnis — rimarkis Neli.

La geaŭstroj disiĝis kiel aŭtunaj folioj sur Komerca strato kaj Neli, kaj Demetro eniris la kafejon de oĉjo Vasil. La blanka robo de Neli tremis kiel lilio. Demetro jam decidis diri al ŝi, ke li meditas pri ŝi, ke li havas seriozajn intencojn kaj deziras proponi al ŝi edziĝon.

Neli trinkis iom el la densa kafo kaj alrigardis lin.

- Demetro, — ekparolis ŝi.- Mi delonge deziras diri ion al vi.

Demetro ektremis kaj ekŝvitis. Li ekis interrompi ŝin kaj diri, ke ankaŭ li delonge deziris diri al ŝi, sed li nur glutis. Pro la emocio lia buŝo estis seka kiel sablo.

- Mi havas ideon – daŭrigis Neli. – Mi ofte venas al vi. Al la fremdlandanoj plaĉas viaj ikonoj kaj lignogravurajôj, ili ĉiam aĉetas multe da ikonoj kaj lignogravurajôj⋯

- Jes.

- Kaj ili bone pagas – aldonis Neli. – Mi venos kun ĉiuj fremdlandanaj grupoj en vian metiejon kaj poste ni dividos la gajnon de la vendado, ĉu ne, mi opinias, ke vi ne kontraŭstaros⋯

Neli ekridetis. Demetro klinis kapon. Ĉu tion ŝi deziris diri al li? Li ne kredis al siaj oreloj. Li lasis la kaftason sur la tablon. Kontraŭ li videblis la malfermita pordo de la metiejo , kie sur la granda kverka tablo atendis lin la ikono de Dipatrino.

철 울타리

스테파노가 울타리 옆에 서서 큰아버지 마당을 쳐다봅니다.

튼튼한 울타리는 콘크리트로 되어 있고 1m 높이의 콘크리트 속에 철 막대기가 박혀 있습니다.

아무도 뛰어넘을 수 없고 큰아버지 마당으로 들어갈 수 없습니다.

스테파노는 가끔 마당을 쳐다봅니다.

그곳은 넓어 꽃과 채소가 있고 부드러운 푸른 풀이 자라는 조그마한 흙이 있습니다.

그 위에 나무 탁자와 의자들이 몇 개 있습니다.

여름에는 탁자 주위에 큰아버지, 큰엄마, 손님들이 앉아 자주 이야기를 나누고 먹고 마시기도 했습니다.

스테파노가 철 울타리 너머를 보고 있으면 엄마가 항상 부릅니다.

"스테파노야! 집 없는 개처럼 거기 서 있지 말고 빨리 집으로 들어오너라."

스테파노는 머리를 숙인 채 집으로 들어옵니다.

몇 번인가 사촌 에밀과 이반이 마당에서 공놀이하거나

탁자 옆에 앉거나 장기를 둡니다. 스테파노는 울타리를 거쳐 보면서 가거나 함께 놀 수 없습니다. 왜냐하면, 아버지와 큰아버지가 서로 싸웠기 때문입니다.

스테파노는 아버지와 큰아버지가 다툰 이유가 무엇인지 모릅니다.

스테파노는 큰아버지가 울타리를 만들기 시작한 날을 기억합니다.

전에는 마당이 넓고 커서 두 형제가 공동으로 썼습니다.

스테파노는 사촌과 조용히 놀고 있습니다.

셋이서 축구 하거나, 딸기나무에서 숨바꼭질하거나, 지금은 큰아버지 마당에 있는 크고 오래된 호두나무에 기어 올라갑니다.

아버지는 여러 해 전에 디미트로 할아버지가 호두나무를 심었다고 말씀하셨습니다.

스테파노는 매우 자랑스러웠습니다.

온 동네에서 이렇게 키가 크고 커다란 데다가 강하고 굵은 가지를 가지고 있고, 그 그늘이 마당의 절반이라도 덮는 호두나무는 없어서 스테파노는 매우 자랑스러웠습니다.

전에 스테파노가 에밀과 이반과 함께 놀 때 호두나무가 하늘로 날아가는 비행기인지 크고 성난 파도가 있는 바다에서 항해하는 배인지 상상했습니다.

울타리가 생긴 뒤 스테파노는 사촌과 함께, 지금은 큰아버지 마당에 있는 외롭고 슬픈 노인을 닮은 호두나무에

더는 오르지 못합니다.

큰아버지 토도르가 울타리를 만들기 시작한 날은 따뜻하고 해가 밝았습니다.

몇 사람의 남자들이 왔습니다. 그들 중 몇 명은 스테파노가 아는데 몇 명은 이웃 사람이고 몇 명은 아닙니다. 남자들과 큰아버지는 울타리 기초를 위해 땅을 팠습니다. 큰아버지는 키가 크고 튼튼해 곡괭이로 땅을 파는데 마치 바위를 부술 듯해, 스테파노에게는 땅이 고통에 우는 것처럼 보였습니다. 남자들이 칼집을 닮은 긴 고랑을 만들었습니다.

스테파노는 전쟁 중에 병사들이 그런 고랑을 판다고 알고 있습니다.

나중에 남자들이 콘크리트를 붓고 그 안에 철 막대기를 넣었습니다.

튼튼하고 높은 울타리가 되었습니다.

지금 가끔 왜 큰아버지와 사촌들을 이제는 만날 수 없는지 궁금합니다.

큰아버지 토도르는 마치 모르는 사람처럼 쳐다보기조차 안 합니다.

사촌들도 스테파노와 말하지 않습니다. 마을에 사는 다른 아이들은 삼촌, 숙모, 사촌들이 있지만, 스테파노는 마치 혼자인 듯합니다.

실제 사촌이 있지만, 너무 멀 게 있는 듯했습니다.

할아버지 마당 한가운데 서 있는 높은 철 울타리가 그들 사이를 갈라놓았습니다.

언젠가 스테파노가 왜 큰아버지가 울타리를 만들었는지, 왜 아버지와 큰아버지는 서로 모르는 듯 말하지 않는지 묻고 싶었습니다.

그러나 용기가 나지 않았습니다.

아버지는 아무것도 대답하지 않으리라고 알았습니다.

강가에 있는 돌을 닮은 빛깔의 커다란 눈으로 스테파노를 쳐다볼 것입니다.

뭔가 다른 것을 이야기하기 시작할 것입니다.

아버지는 조용한 성격이라 말하기를 좋아하지 않습니다.

학교에서 선생님은 학생들에게 가르칠 때만 말을 합니다.

엄마에게 묻고 싶지도 않습니다.

엄마에게 울타리는 항상 거기에 있는 듯이 항상 두 마당을 나누고 있습니다.

몇 년 전에는 마당이 한 개였다는 것조차 기억하고 싶지 않은 듯 보였습니다.

아버지와 달리 엄마는 더 수다스럽습니다.

집에서 가끔 이웃 사람들을 초대합니다.

서로 이야기하며 커피를 마시며 집에 있는 맛있는 것을 먹습니다.

몇 번인가 무슨 말 하는지 들은 적이 있는데 결코 큰아버지와 숙모 이름조차 언급하지 않습니다.

마치 없거나 철 울타리의 반대편 단지 몇 미터 지나 아무도 살고 있지 않은 것처럼 말입니다.

아버지와 큰아버지가 왜 싸웠는지에 대한 질문 때문에 고통스러워 끊임없이 대답을 찾았습니다.

그러나 한 어머니에게 나서 같은 집에서 자라고, 어릴 때 같이 뛰어놀고, 학교에도 같이 다니고 항상 같이 있었는데 갑자기 서로 싸우기 시작해서 서로 쳐다보지도 않고 말도 안 하는지 이유를 찾기 원했지만 두 형제를 이해할 수 없습니다.

정말로 이해할 수 없는 일입니다.

때로 우연히 어떤 단어를 들었지만 싸움의 이유라고 생각할 수 없습니다.

한 번은 가족이 저녁 식사할 때 엄마가 아버지에게 말했습니다.

"시숙이 강가에 열매가 풍성한 땅을 유산 받았는데 당신은 아무 말도 안 했어요."

무슨 땅에 관해 이야기하는지 왜 아빠는 아무 말도 안 했는지 스테파노는 궁금했습니다.

언제나처럼 아버지는 조용하고 엄마의 말을 이해하지 못한 듯 보였습니다. 스테파노는 강가에 있는 어떤 땅 때문에 두 형제가 서로 다투었다고 믿고 싶지 않았습니다.

뭔가 다른 이유가 있을 거야.

그러면 무슨 일일까 계속 생각했습니다.

언젠가 밤에 이상한 꿈을 꾸었습니다.

아빠와 큰아버지의 아버지인 디미트로 할아버지에 대해

꿈을 꾸었습니다.

디미트로 할아버지는 몇 년 전 울타리가 생기기 전에 돌아가셨습니다.

지금 꿈에서 할아버지는 스테파노가 서 있기 좋아하듯 그렇게 울타리 곁에 서 있습니다. 그러나 할아버지는 철막대기에서 어느 것을 강하게 잡아 콘크리트에서 빼내려고 했습니다.

할아버지는 잡초를 뽑듯 막대기를 화내며 빼냈습니다.

얼굴이 붉어지고 땀 흘리면서 무겁고 깊게 숨을 쉬었습니다.

모피 웃옷을 벗어 울타리 옆 풀 위에 던졌습니다.

검은 눈이 빛나고 눈빛은 굳고 할아버지가 살아있을 때 기억나는 그런 심각함이 있습니다.

"할아버지, 무엇 하세요?"

꿈에서 주저하며 스테파노가 물었을 때 할아버지는 듣지 않고 철 막대기 빼기만 계속했습니다.

조금 뒤에 스테파노에게 눈을 돌리고

"네 큰아버지 토도르가 내게 화를 냈어. 네 아버지만 돌보고 배우도록 돈을 주어 교사가 되었다고 불평했지. 그런데 토도르에게도 기꺼이 돈을 주려고 했었는데 배우기를 원치 않았단다. 정말로 토도르와 네 아버지는 내 아들이야. 그런데도 토도르는 내가 강가에 있는 열매가 풍성한 땅을 유산으로 준 것에 대해 잊어버렸어. 그래서 화가 나서 마당에 철 울타리를 만들었단다.

내가 온 세상에는 울타리가 없단다."
할아버지는 잠깐 쉬려고 철 막대기를 그대로 두셨는데
갑자기 사라졌습니다.
꿈에서 스테파노가 불렀습니다.
"할아버지, 어디 가세요? 울타리가 무너지지 않았어요.
아직 남아있어요."
그러나 디미트로 할아버지는 흔적조차 없습니다.
스테파노는 깼습니다.
다시 할아버지를 보고 묻고 싶었습니다.
"할아버지, 이곳 땅에는 왜 울타리가 있나요?"

11. LA FERA BARILO

Stefano staris ĉe la barilo kaj rigardis al la korto de sia onklo. Solida barilo, betona, alta unu metron kaj en la betono estis metalaj stangoj. Neniu povis transsalti ĝin kaj eniri en la korton de la onklo. Stefano ofte rigardis la onklan korton, estis vasta kun floroj, legomobedoj kaj negranda senherbejo kun mola verda herbo, sur kiu videblis ligna tablo kaj kelkaj seĝoj. Somere ĉirkaŭ la tablo kutimis sidi la onklo, la onklino, iliaj gastoj, kiuj babilis, manĝis aŭ trinkis. Stefano rigardis ilin tra la fera barilo, sed la patrino ĉiam vokis lin:

-Stefano, ne staru tie kiel senhejma hundo. Eniru rapide en la domon.

Kaj Stefano kun klinita kapo eniris la domon.

Foje-foje liaj kuzoj Emil kaj Ivan ludis futbalon en la korto aŭ sidis ĉe la tablo kaj ludis ŝakon. Stefano rigardis ilin tra la barilo, sed ne povis iri kaj ludi kun ili, ĉar lia patro kaj la onklo kverelis unu kun alia. Stefano ne sciis kia estis la kialo por malpaciĝo inter la patro kaj la onklo. Li memoris la tagon, kiam la onklo komencis fari la barilon. Antaŭe la korto estis komuna, de du fratoj — vasta kaj granda, kaj Stefano trankvile ludis kun siaj kuzoj. Triope ili ludis futbalon, kaŝis sin en la frambujo aŭ grimpis sur la altan oldan juglandan arbon, kiu nun estas en la korto de la onklo. La patro de Stefano diris, ke antaŭ multaj jaroj la avo Dimitro plantis la juglandan arbon kaj Stefano tre fieris, ke en la tuta vilaĝo ne estis tia alta kaj granda juglanda arbo kun fortaj dikaj branĉoj, kies ombro kovras la duon korton. Antaŭe, kiam Stefano ludis kun Emil kaj Ivan, li imagis, ke la juglanda arbo estas aŭ aviadilo, kiu flugas en la ĉielo, aŭ ŝipo, kiu veturas en la maro inter grandegaj furiozaj ondoj.

Post la ekesto de la barilo, Stefano kun la kuzoj ne plu grimpis sur la juglandan arbon, kiu nun similis al soleca trista oldulo en la onkla korto.

La tago, kiam onklo Todor komencis fari la barilon, estis varma kaj suna. Venis kelkaj viroj. Iujn el ili Stefano konis, estis najbaroj, sed aliajn

- ne. La viroj kaj la onklo faris fosaĵon por la fundamento de la barilo. La onklo, alta, osteca, tiel forte batis per la pioĉo la teron kvazaŭ disbatis rokon, kaj al Stefano ŝajnis, ke la grundo ĝemas kaj ploras. La viroj faris longan fosaĵon, similan al trançejo. Stefano sciis, ke dum milito soldatoj fosas tiajn trançejojn. Poste la viroj verŝis la betonon kaj en ĝi metis la ferajn stangojn de la barilo. Iĝis solida alta barilo.

Kaj nun Stefano ofte demandis sin kial li ne plu havas onklon kaj kuzojn. Onklo Todor eĉ ne alrigardas lin, kvazaŭ ne rimarkas lin kaj la kuzoj ne parolas kun Stefano. La aliaj infanoj en la vilaĝo havas onklojn, onklinojn, kuzojn, sed Stefano kvazaŭ estas sola. Li fakte havas kuzojn, sed ŝajne ili estas tre malproksime. Disigas ilin tiu ĉi alta fera barilo, kiu staras meze de la ava korto.

Iam Stefano deziris demandi la patron kial la onklo faris la barilon kaj kial la patro kaj la onklo ne parolas unu kun alia, kvazaŭ ne konas unu la alian, sed li ne kuraĝis. Li sciis, ke la patro nenion respondos. La patro nur alrigardos lin per siaj grandaj okuloj, kies koloro similas al la koloro de rivera ŝtono, kaj komencos paroli pri io alia. La patro estis silentema, ne ŝatis paroli. Instruisto en la lernejo, li parolis nur al la lernantoj, kiam instruis ilin. Stefano ne deziris demandi la patrinon. Por ŝi la barilo kvazaŭ ĉiam estis tie kaj ĉiam disigis la du kortojn. Verŝajne ŝi ne deziris rememori, ke antaŭ kelkaj jaroj la korto estis unu. Spite al la patro, la patrino estis pli parolema. Hejme ofte gastis najbarinoj. Ili parolis, trinkis kafon aŭ manĝis hejmajn dolĉaĵojn. Foje-foje Stefano aŭskultis kion ili parolas, sed neniam ili menciis la nomojn de la onklo kaj onklino, kvazaŭ ili ne ekzistis kaj ne loĝis nur je kelkaj metroj de alia flanko de la fera barilo.

Tamen la demando kial la patro kaj la onklo kverelis, turmentis Stefanon kaj li senĉese serĉis la respondon, deziris trovi la kialojn, sed ne povis kompreni kial du fratoj, naskitaj de unu sama patrino, kiuj kreskis kune en unu sama domo, ludis kune, kiam estis infanoj, kune frekventis lernejon kaj ĉiam estis kune, subite komencis kvereli unu kun alia kaj nun eĉ ne povis rigardi unu la alian kaj ne konversaciis. Tio estis tute nekomprenebla por Stefano. De tempo al tempo li aŭdis hazarde iujn vortojn, sed ne opiniis, ke tio povas esti kialo por kverelo.

Foje, kiam la familio vespermanĝis, la patrino de Stefano diris al la patro: "Via frato heredis la fruktodonan grundon ĉe la rivero kaj vi nenion diris."

"Pri kiu grundo ili parolis kaj kial paĉjo nenion diris? – demandis sin Stefano."

Kiel ĉiam la patro silentis kaj ŝajnigis, ke ne komprenis la vortojn de la patrino. Stefano ne deziris kredi, ke du fratoj kverelis pri ia grundo ĉe la rivero. "Verŝajne la kialo estas ia alia, sed kia? – meditis li."

Foje nokte Stefano sonĝis strangan sonĝon. Li sonĝis sian avon Dimitron, la patro de paĉjo kaj la onklo. La avo Dimitro forpasis antaŭ kelkaj jaroj, antaŭ la ekesto de la barilo.

Nun, en la sonĝo, avo Dimitro staris ĉe la barilo, tiel kiel Stefano ŝatis stari ĉe ĝi. Tamen avo Dimitro forte tenis iun el la feraj stangoj kaj provis eltiri ĝin el la betono. Li tiel kolere tiris la stangon, kvazaŭ li eltiras herbaĉon. Lia vizaĝo ruĝis, li ŝvitis, peze kaj profunde spiris. La avo demetis sian peltjakon kaj ĵetis ĝin sur la herbon ĉe la barilo. Liaj nigraj okuloj brilis, lia rigardo estis firma kaj severa, tia, kia memoris ĝin Stefano, kiam avo Dimitro vivis.

-Avo, kion vi faras? – demandis Stefano malkuraĝe en la sonğo, sed la avo ne aŭdis lin kaj daŭrigis tiri la feran stangon.

Post iom da tempo li turnis sin al Stefano.

-Via onklo Todor koleras al mi. Li riproĉas min, ke mi zorgis nur pri via patro, ke mi donis al li monon por lerni kaj iĝi instruisto. Jes, mi volonte estus doninta monon ankaŭ al Todor, sed li ne deziris lerni. Ja, kaj Todor, kaj via patro estas miaj filoj, tamen Todor forgesis, ke mi testamentis al li la fruktodonan grundon ĉe la rivero. Kaj jen, Todor koleris kaj faris tiun ĉi feran barilon en la korto. En alia mondo, de kie mi venas, ne estas bariloj!

Avo Dimitro lasis la feran stangon por iom ripozi, sed subite malaperis. En la sonğo Stefano provis voki lin: "Avo, kien vi iras? Vi ne sukcesis detrui la barilon kaj ĝi restis!"

Tamen de avo Dimitro eĉ spuro ne estis. Stefano vekiĝis. Li deziris denove vidi la avon kaj demandi lin: "Avo, kial ĉi tie, sur la tero, estas bariloj?"

막달레노

작은 방은 비어있어 크게 느껴지고 매우 추웠다.

구석에는 냉장고와 난로, 그리고 가까이에 탁자가 있는데 그 위에는 오래된 부엌칼, 접시, 날카로운 칼이 남긴 수많은 줄이 있는 빵 자르는데 쓰는 시커먼 도마가 놓여 있다.

줄 가운데 어느 것은 더욱 깊고 다른 것은 그 정도는 아니지만, 모든 줄이 날카롭게 도마 위를 주름 짓게 했다.

잠깐 막달레노가 그것을 본다면 자기 마음이 그렇게 주름진 것처럼 느낄 것이다.

옆방에는 엄마가 누워서 신음하고 계신다.

엄마는 막달레노를 불안하게 하지 않으려고 고통의 눈물을 참으려고 했다.

그러나 고통이 하도 심해서 앓는 소리가 작은 피의 조각들로 막달레노 마음을 자르는 듯했다.

이미 삶에서 무엇이 일어나지 않았는가?

아버지는 10년 전 추운 2월의 어느 날 돌아가셨다.

잔인한 남자가 이를 갈듯이 눈송이가 신발 아래서 우두둑 소리를 냈다.

이때 막달레노는 3학년이었고, 이날 학교에 가지 않았다.

기억 속에는 조용하고 커다란 무덤이 아직도 있다.

잿빛 하늘 아래 하얀 묘지 돌은 검은 땅속에 박힌 개의 이빨을 닮았다.

엄마의 손을 잡고 얼어붙은 관을 뒤따라 걸었다.

막달레노보다 나이가 많은 키나 언니가 옆에서 걸었다.

눈에 섞여 아교풀 같이 달라붙은 흙이 막달레노의 신발에 모이고 바람은 귀 사이로 시끄럽게 불고 눈송이가 찌르듯이 얼굴 속으로 파고든다.

관에 누워있는 사람이 아버지가 아니라 어느 모르는 남자, 아마 사람도 아니고 사람을 전혀 닮지 않은 존재 같이 보인다.

장례가 끝난 뒤 근심거리가 집 안으로 들어왔다.

검은 머릿수건에 검은 옷을 입은 엄마와 언니는 불 꺼진 양초 같다.

때때로 막달레노는 머리를 들어, 울어서 퉁퉁 부은 붉어진 눈을 바라보았지만, 두 사람은 마치 돌처럼 굳어버렸다.

지금 몇 년 뒤 아버지를 다시 기억해 보려고 했다.

'아빠는 웃기를 좋아했을까? 막달레노가 어린아이였을 때 어깨 위에 올리고 걸어갔을까? 어렸을 때 둘은 손에 손잡고 산책하기를 좋아했을까'를 기억해 내려고 애썼지만 할 수 없었다.

그래서 절망했다.

아버지는 키가 크고 마르고 조용했다.

겨울에 여기 방에서 같은 탁자에 앉아 담배를 피웠다.

'평온한 눈길이라 잘 지내는구나.' 하고 사람들이 추측할 수 있다.

세월이 아버지에 대한 기억을 먼지와 망각으로 덮었다.

막달레노는 다 자라서 선생님이 되어 마을에서 어린이를 가르치고 늘 조용하게 지냈다.

어느 겨울날 '언니가 죽었다.'라고 갑자기 사람들이 말했다.

휘청했다. 차가운 바람이 부드러운 꽃을 뿌리째 뽑아 멀리 던지듯 그렇게 뿌리 뽑힌 듯했다.

재앙이다.

키나 언니가 사고로 죽었다.

막달레노와 엄마만 남았다.

엄마는 도시에 살고, 막달레노는 도시에서 20km 떨어진 마을에서 선생님으로 지내고 있다.

오직 주말에만 서로 만났다.

무덤에 가면 초에 불을 붙이고 무덤 옆에 있는 의자에 앉았다.

그리고 지금 몇 년 뒤 하얀 묘지 돌은 검은 땅속에 박힌 개 이빨을 닮았다.

아버지는 돌아가실 때 젊었다.

키나 언니도 젊었지만, 언니는 살아야만 했다.

언니는 아름다운 웃음을 가지고 있어 웃을 때면 파란 눈이 반짝였다.

언니는 연극을 좋아해서 시에 있는 문화의 집에서 아마추어 연극 단원으로 활동했다.

언니는 무대에서 웃고 뛰는 즐거운 아가씨 역을 항상 맡았다.

공연이 끝나면 항상 언니는 무대 위로 나갔고 그때 관중은 조용해졌다.

하늘을 닮은 파란빛 눈이 빛났고 조용한 웃음이 창백하고 우윳빛 얼굴 위에 소리 없이 흐른다.

연극단은 연극 공연이 열리는 페보 마을에 버스로 이동했다.

12월이라 길이 얼어있어 미끄러웠다.

버스가 길을 벗어나 갑자기 흔들리는 사람처럼 방향을 바꾸었다.

길옆에 있는 호두나무와 부딪쳤다.

막달레노는 그 호두나무를 쳐다보았다.

키가 크고 수령이 100년은 되어 보이고 튼튼했다.

호두나무는 아직도 페보 마을에 가는 길옆에 있지만 키나 언니는 이제 없다.

언니 죽음은 엄마를 압박했다.

엄마는 말라 갔고 끓는 물에 데친 나뭇잎처럼 검게 되었다.

엄마가 아파지자 막달레노와 함께 의사를 찾아가기 시작했다.

누구는 이렇게 말하고 누구는 저렇게 말했다.

마침내 의사들은 수도 소피아에 있는 큰 병원에서 치료해야 한다고 결정했다.

"막달레노야? 아빠의 형제인 삼촌에게 전화해서 병원에서 치료하기 위한 검사를 받는 동안 소피아에 있는 집에서 며칠간 지내도록 부탁해라."

엄마가 말씀하셨다.

막달레노는 오랫동안 삼촌과 만난 적이 없다.

삼촌은 소피아에 있는 경찰서에서 어떤 간부로 있으며 막달레노 자신보다 나이 많은 딸과 아들을 두고 있음을 안다.

전화했더니 수화기에서 딱딱한 남자 목소리가 들렸다.

막달레노가 누구라고 말하자 목소리는 훨씬 부드러워졌다.

"정말 막달레노니? 무슨 일이야?

잘 지내고 있니?"

왜 전화했는지 이유를 말했다.

조용하더니 나중에 천천히 돌을 부수듯 말하기 시작했다.

"알겠다. 그러나 우리 집이 크지 않다는 것은 알아라. 내 아들이자 네 사촌인 도브린은 이혼을 하고 지금 우리와 함께 살고 있어. 머물 장소가 없구나. 너희 숙모 요르단카는 잘 지내지 못하고 아파서 집에 초대할 수 없어."

막달레노는 삼촌이 큰 집을 가지고 있음을 알지만 입을

다물었다.

삼촌은 아직 뭔가를 더 말하고 수화기를 놓았다.

막달레노는 엄마를 성가시게 하고 싶지 않아서, 삼촌이 사는 곳을 수리하느라 초대할 수 없다고 단순하게 말했다.

"베스카 이모에게 전화해라." 엄마가 건의했다.

"내 사촌이 아마도 나를 자기 사는 곳에 초청할 수 있을 거야."

막달레노는 전화했다.

하지만 베스카 이모 역시, 무엇을 할지 오랫동안 머리를 쓰더니 결국 초대할 수 없다고 말씀했다.

누구도 막달레노를 도우려고 하지 않지만, 희망을 잃지 않았다.

급류처럼 강하게 몰아닥치는 힘을 느끼기 시작하고 모든 일에 맞설 준비가 되었다.

'그래 돈을 빌려 곧바로 소피아로 가야겠어. 엄마와 함께 호텔 방을 빌리자.' 굳게 결심했다.

'그래, 곧 떠나자.'

엄마를 돌아가시게 하면 안 된다.

반드시 살려야 한다.

이미 아버지와 언니를 잃었는데 엄마까지 잃고 싶지 않다.

온종일 도시를 헤매고 다녔다.

거의 모든 아는 사람, 친척 친구들을 찾아가 엄마를 치료하기 위해 돈이 필요하다고 설명하고 빌려 달라고 청했지만, 소용이 없었다.

모두 돈이 없거나 한 달 뒤에 오라고 대답했다.

그러나 지금 돈이 필요했다.

한 달 뒤에는 늦을 것이다.

이제 병든 엄마와 함께 소피아로 가야 한다. 시간을 놓쳐서는 안 된다. 곧 치료를 시작해야 한다고 사람들이 말한다.

지치고 슬프고 절망에 빠져 도시의 광장 가까이에 서 있다.

점심 무렵이다.

7월의 햇살이 세게 인정사정없이 비추고 있다.

광장은 넓어 마치 끝없는 사막을 닮은 듯 보인다.

광장의 대리석 조각은 눈부시게 빛나고 마치 화산 앞에 서 있는 것처럼 그렇게 뜨거웠다.

갑자기 휘청거리는 것을 느꼈다.

눈앞이 어두워지며 흔들렸다.

도끼에 찍힌 나무처럼 쓰러지지 않으려면 곧 앉아야만 했다.

광장 옆에는 의자가 몇 개 있는 작은 공원이 있다.

매우 열심히 거기로 뛰어갔다.

의자 중 하나에 가까이 다가가 앉았다.

하얀 벽처럼 창백했다.

얼마나 오래 그 의자에 앉아있었는지도 모른다.

눈을 뜨고 더 편안하게 숨을 쉬기 시작해서 주위를 둘러
보았다.

몇 미터 떨어진 옆 의자에 젊은이가 앉아있다.

앞에 그림이 있는 것을 보니 아마 화가인 듯하다.

공원 이곳에서 그림을 팔고 있다.

'이 뜨거운 날에 누가 그림을 사 갈까?' 궁금했다.

젊은이는 의자에서 일어나 가까이 다가와 물었다. "어디
아프세요?"

"예" 말하고 싶지 않았지만 대답했다.

"도와드릴까요? 그래요. 저기에서 음료수를 파니 마실
무언가를 곧 가져다드릴게요. 아니면 물을 가져다드릴까
요?"

"아니요, 감사합니다." 막달레노가 말했다.

"정말 떨고 있네요. 내가 곧 탄산수를 가져올게요.
내 그림을 지켜주기만 부탁해요. 곧 돌아올게요."

'이 뜨거운 날에 누가 그림을 훔쳐갈까?'

공원에는 아무도 안 보이는데, 막달레노는 혼자 생각했
다.

젊은이는 가까운 판매점으로 뛰어갔다.

몇 분 뒤 탄산수 한 병을 들고 돌아왔다.

"이것 마셔요. 너무 더워요. 물을 많이 마셔야 해요."

젊은이는 말하고 물병을 막달레나에게 줬다.

병을 들고 몇 모금을 마신 뒤 갑자기 격하게 몸부림치며
울기 시작했다.

"무슨 일이세요?"

두려운 듯 젊은이가 쳐다보았다.

"아니요!" 눈물을 흘리며 대답하려고 했다.

슬픔이 밀려와 숨 막히게 했다.

누군가에게 모든 것, 아버지에 대해, 언니에 대해, 곧 돌아가시게 생긴 엄마에 대해 말하는 것이 필요하다고 느꼈다.

막달레노는 말하고 또 말했다. 젊은이는 들었다.

삼촌, 베스카 이모에 관해 이야기하고 온종일 도시를 다니며 얼마나 헤맸는지, 돈을 구하려고 했는지 말했다.

어떤 친척도 친구도 빌려주지 않았고, 아무도 도와주기조차 안 했다.

이야기를 마치자 젊은이는 일어났다.

다음에 천천히 말했다.

"소피아에 제가 거주하는 곳이 있어요.

지금 아무도 살고 있지 않아요.

이거 열쇠 받으세요."

전혀 모르는 젊은이가 열쇠를 빼 들고서 막달레노에게 주었다.

12. MAGDALENO

La eta ĉambro aspektis grandega, malplena kaj malvarma. En la angulo time silentis la fridujo, la forno kaj ĉe ili estis la tablo, sur kies tablokovrilo kuŝis malnova kuireja tranĉilo, kulero kaj malhela tabulo por pantranĉado kun sennombraj strioj, postlasitaj de la akraj tranĉiloj. Iuj el strioj estis pli profundaj, aliaj ne tiom, sed ĉiuj kruele sulkigis la surfacon de la tabulo. Por momento al Magdaleno ŝajnis, ke eble ŝia animo, se ŝi povus vidi ĝin, estas tiel sulkigita.

En la najbara ĉambro kuŝis ŝia patrino kaj ĝemis. Ŝi provis sufoki la plorĝemojn por ne maltrankviligi Magdalenon, sed la doloroj estis teruraj kaj tiuj ĉi turmentaj ĝemoj kvazaŭ tranĉis la koron de Magdaleno je etaj sangaj pecoj. Kio ne okazis jam en ŝia vivo? La patro de Magdaleno mortis en malvarma februara tago antaŭ dek jaroj. La neĝo grincis sub la ŝuoj kvazaŭ kruela viro grincas per la dentoj. Tiam Magdaleno lernis en la tria klaso kaj en tiu ĉi tago ŝi ne iris al la lernejo. En ŝia memoro ankoraŭ estas la granda silenta tombejo, sub la plumba ĉielo kun la blankaj tombaj ŝtonoj, similaj al hundaj dentoj pikitaj en la nigra tero. Ŝi paŝis post la ĉerko frostiĝita, preninta la manon de la patrino. Apud ili iris Kina, la fratino de Magdaleno, kiu estis pli aĝa ol Magdaleno. Glua koto, miksita kun neĝo amasiĝis sur la elfrotitaj ŝuoj de Magdaleno, la vento siblis preter ŝiaj oreloj kaj la neĝeroj kiel pikiloj eniĝis en ŝian vizaĝon. Ŝajnis al Magdaleno, ke tiu, kiu kuŝas en la ĉerko ne estas ŝia patro, sed iu nekonata viro, eble eĉ ne homo, sed estaĵo, kiu ne similas al homo. Post la enterigo, en la domon eniris la ĉagreno. La patrino kaj la fratino en nigraj roboj kun nigraj kaptukoj similis al estingitaj kandeloj. De tempo al tempo Magdaleno levis kapon kaj rigardis iliajn ruĝajn ŝvelitajn pro la ploro okulojn, tamen ili ambaŭ kvazaŭ ŝtoniĝis.

Nun, post tiom da jaroj, Magdaleno provas rememori la patron. Ĉu li ŝatis ridi, ĉu li portis ŝin sur siaj ŝultroj, kiam Magdaleno estis eta knabino, aŭ ĉu li kaj ŝi, kiam ŝi estis infano, promenis man' en mane? Magdaleno deziris rememori tion, sed ne povis kaj tial ŝi malesperiĝis. La patro estis alta, maldika kaj silentema. Vintre li sidis ĉi tie, en la ĉambro, ĉe tiu ĉi sama tablo kaj fumis, kaj de lia kvieta rigardo oni povis konjekti, ke li bone fartas. La jaroj kovris per polvo kaj forgeso la memoron pri li. Magdaleno plenkreskis, iĝis instruistino kaj en la vilaĝo, kie ŝi instruis la infanojn, ŝi dronis en senlima silento.

En iu vintra tago subite oni diris al ŝi, ke ŝia fratino mortis. Tio skuis ŝin kaj kvazaŭ elradikigis ŝin tiel, kiel glacia vento elradikigas teneran floron kaj ĵetas ĝin malproksimen. Katastrofo. Kina pereis en katastrofo. Magdaleno kaj la patrino restis solaj. La patrino - en la urbo kaj Magdaleno en la vilaĝo, kie estis instruistino, je dudek kilometroj malproksime de la urbo. Ili vidis unu la alian nur sabate kaj dimanĉe. Tiam ili iris al la tombejo, bruligis kandelojn kaj sidiĝis sur la benkon ĉe la du tomboj. Kaj nun, post tiom da jaroj, la blankaj tomboŝtonoj denove similis al hundaj dentoj, pikitaj en la nigra tero.

La patro estis juna, kiam forpasis kaj ankaŭ Kina estis juna, sed Kina devis vivi. Kina havis belan rideton kaj kiam ŝi ridetis, ŝiaj bluaj okuloj fajreris. Kina ŝatis la teatron kaj ludis en amatora teatra trupo en la urba kulturdomo. Ŝi ludis ĉiam la rolojn de gajaj junulinoj, kiuj ridas kaj kuras sur la scenejo.

Ĉiam, kiam la spektaklo finiĝis, Kina eliris sur la scenejon kaj tiam la publiko silentiĝis. La ĉielbluaj okuloj de Kina lumis kaj ŝia kvieta rideto glitis sur ŝian palan laktan vizaĝon.

La teatra trupo veturis per aŭtobuso al vilaĝo Peevo, kie devis esti teatra prezentado. Estis decembro, la vojo − glaciiĝinta, glita. La aŭtobuso deflankiĝis, turniĝis simile al homo, kiu subite svenis. La aŭtobuso karambolis kontraŭ juglanda arbo ĉe la vojo. Magdaleno vidis tiun ĉi juglandan arbon. Ĝi estis alta, eble centjara, forta. La juglanda arbo ankoraŭ estas tie, ĉe la vojo al vilaĝo Peevo, sed Kina plu ne estas.

La forpaso de Kina premis la patrinon. Ŝi maldikiĝis, iĝis nigra kiel brogita folio. La patrino malsaniĝis kaj ŝi kaj Magdaleno komencis viziti kuracistojn. Iuj diris ion, aliaj − alion. Fin-fine la kuracistoj decidis, ke oni devas kuraci la patrinon en malsanulejo en Sofio – la ĉefurbo.

-Magdaleno telefonu al la onklo, la frato de via patro kaj petu lin, ke dum kelkaj tagoj ni estu en lia hejmo, en Sofio, dum oni kuracesploros min en la malsanulejo – diris la patrino.

Magdaleno delonge ne renkontiĝis kun sia onklo. Ŝi sciis, ke li estas ia estro en la polico en Sofio, ke havas filinon kaj filon pli aĝaj ol Magdaleno.

Ŝi telefonis kaj en la telefonaŭskultilo ŝi aŭdis severan viran voĉon, sed kiam ŝi diris, kiu ŝi estas la voĉo iĝis pli mola.

-Ho, Magdaleno, ĉu vi estas? Kio okazis? Kiel vi fartas?

Magdaleno diris al li kial ŝi telefonas. La onklo eksilentis kaj poste malrapide komencis prononci la vortojn, kvazaŭ li rompis ŝtonojn.

-Bone, sed ja vi scias, nia domo ne estas granda. Dobrin, mia filo, via kuzo divorcis kaj nun loĝas ĉe ni kaj ne estas loko. Via onklino Jordanka ne bone fartas, ankaŭ ŝi estas malsana kaj ni ne povas gastigi vin.

Magdaleno sciis, ke la onklo havas grandan loĝejon, sed ŝi eksilentis. La onklo diris ankoraŭ ion kaj remetis la telefonaŭskultilon. Magdaleno ne deziris maltrankviligi la patrinon, nur diris al ŝi, ke la onklo ĵus komencas renovigi la loĝejon kaj ne povas gastigi ilin.

-Telefonu al onklino Veska — proponis la patrino.

-Ŝi estas mia kuzino, eble ŝi gastigos nin en sia loĝejo.

Magdaleno telefonis, sed ankaŭ onklino Veska longe cerbumis kion fari kaj fin-fine diris, ke ankaŭ ŝi ne povas gastigi ilin.

Neniu deziris helpi al Magdaleno, tamen ŝi ne perdis esperon. Ŝi eksentis fortojn, kiuj subite obsedis ŝin kiel torento kaj ŝi estis preta je ĉio. Jes, ŝi prunteprenos monon kaj ŝi kaj la patrino tuj ekveturos al Sofio. Ili luos hotelĉambron, decidis firme Magdaleno. Jes, ili tuj ekveturos. La patrino ne devas morti. Magdaleno nepre devas savi ŝin. Ja, Magdaleno jam perdis la patron kaj la fratinon kaj ne deziras perdi ankaŭ la patrinon.

La tutan tagon Magdaleno vagis tra la urbo. Ŝi vizitis preskaŭ ĉiujn konatojn, parencojn kaj amikojn, klarigis al ili, ke ŝi bezonas monon por kuraci la patrinon, petis, ke ili prunte donu al ŝi monon, sed vane. Ĉiuj diris, ke ili ne havas monon aŭ respondis, ke Magdaleno venu post monato. Tamen ŝi bezonis la monon nun. Post monato estos malfrue. Nun ŝi devas veturi kun la malsana patrino al Sofio. Ili ne devas perdi tempon Oni devis tuj komenci la kuracadon.

Laca, trista, senesperigita Magdaleno ekstaris proksime al la urba placo. Estis tagmezo. La julia suno forte kaj senkompate brilis. La placo estis vasta, sed nun al Magdaleno ĝi similis al senlima dezerto. La marmoraj platoj de la placo blindige brilis kaj estis tiel varme kvazaŭ Magdaleno staris antaŭ vulkano. Subite ŝi eksentis, ke svenos. Antaŭ ŝiaj okuloj malheliĝis kaj ŝi ŝanceliĝis. Ŝi devis tuj eksidi por ke ŝi ne falu kiel forhakita arbo. Ĉe la placo estis eta parko kun kelkaj benkoj. Magdaleno tre pene ekiris tien. Alpaŝis al unu el la benkoj kaj sidiĝis. Ŝi estis pala kiel blanka muro. Magdaleno ne sciis kiom da tempo ŝi sidis sur la benko. Kiam ŝi malfermis okulojn kaj komencis pli trankvile spiri, ŝi ĉirkaŭrigardis. Je kelkaj metroj de ŝi, ĉe la najbara benko, sidis junulo. Apud li estis pentraĵoj, eble la junulo estis pentristo kaj ĉi tie en la parko li vendis siajn pentraĵojn. Ĉu en tiu ĉi varmego iu deziras aĉeti pentraĵojn, demandis sin Magdaleno? La junulo ekstaris de la benko proksimiĝis al Magdaleno kaj demandis ŝin:

-Ĉu vi fartas malbone?

-Jes - respondis Magdaleno, malgraŭ ke ŝi ne emis konversacii.

-Ĉu mi helpu vin? Jes, tie oni vendas senalkoholaĵojn, mi tuj alportos al vi ion por trinki, aŭ eble mi portu akvon.

-Ne. Dankon - diris ŝi.

-Ho, vi tremas, mi tuj alportos al vi mineralan akvon. Mi nur petos vin, ke vi gardu miajn pentraĵojn, mi tuj revenos.

Magdaleno meditis: kiu ŝtelos la pentraĵojn en tiu ĉi varmego, ja neniu videblas en la parko.

La junulo ekrapidis al la proksima vendejo. Post kelkaj minutoj li revenis kun botelo da minerala akvo.

-Jen, trinku. Estas varmege kaj oni devas trinki pli da akvo - diris la junulo kaj donis la botelon al Magdaleno.

Ŝi prenis la botelon, trinkis kelkajn glutojn kaj subite ekploris, forte, konvulsie.

-Kio okazis? - alrigardis time ŝin la junulo.

-Nenio – provis tra la ploro respondi Magdaleno.

La tristo obsedis kaj kvazaŭ sufokis ŝin. Ŝi sentis bezonon rakonti al iu ĉion, rakonti pri la patro, pri la fratino, pri la patrino, kiu verŝajne baldaŭ mortos. Ŝi rakontis kaj rakontis. La junulo aŭskultis ŝin. Magdaleno rakontis pri la onklo, pri onklino Veska, rakontis kiel tutan tagon ŝi vagis tra la urbo kaj petis monon, sed neniu parenco kaj amiko donis al ŝi, eĉ ili ne helpis ŝin. Kiam ŝi finis rakonti, la junulo ekstaris antaŭ ŝi. Poste li malrapide diris:

-Mi havas loĝejon en Sofio. Nun neniu loĝas en ĝi. Jen la ŝlosilo.

La tute nekonata junulo elprenis la ŝlosilon kaj donis ĝin al Magdaleno.

바다별

남자는 키가 작고 뚱뚱하고 대머리였다.
몇 살이나 되었는지 50살 이상인지 50살에 가까운지 짐작할 수조차 없다. 식당은 거의 비어있지만 내가 앉은 탁자에 앉았다.
방금 나는 점심을 마치고 조용히 커피를 마시고 있었다.
모르는 남자가 둘레를 살폈다.
식당에 머물 것인지 아닌지 망설이는 것 같았다.
아마도 우연히 식당에 들어온 듯했다.
기차는 40분 뒤에 올 것이다.
하지만 남자는 기차를 기다린 것 같지는 않게 보였다.
작은 가방이나 여행 가방도 가지고 있지 않았다.
식당에 들어올 때 바지 주머니에 손을 넣고 있음을 알아차렸다.
종업원이 오고 남자는 커피만을 주문했다.
나중에 창밖으로 눈길을 돌렸다.
내게 말 걸기를 원한다고 느꼈지만 남자는 머뭇거렸다.
아마 누군가에게 말을 걸고 싶어 식당에 들어온 듯했다.
나는 말을 걸어오는 것을 반대할 아무 이유도 없다.

나는 지루했고 서둘 것이 없었다.

부드러운 어느 5월 오후 중 하루였다.

해는 천천히 저물고 기차 레일은 하늘색으로 빛나고 철도 침목 사이의 푸른 기름 얼룩은 에메랄드를 닮았다.

모르는 남자는 갑자기 용기를 내서 가는 기침을 하고 어디로 가는지 물었다.

"부르가스에"하고 나는 대답했다.

"저도 부르가스에 갑니다." 말하고 곧 덧붙였다.

"그리고 거기서 벨마르로."

나는 남자를 쳐다보았다.

"벨마르에 호텔을 가지고 있어요."

남자가 설명했다.

왜 그것을 말하는지 이해하지 못했다. 자랑하는 건지 아니면 왜 벨마르에 가는지 설명하고 싶은가?

이 소개 뒤에 편안하게 나와 이야기 나눌 수 있다고 결정한 듯하다.

무슨 일이 남자를 괴롭혔고 누군가에게 그 사실을 말하기를 원했다. 왜냐하면 말하지 않으면 이것을 부르가스나 벨마르까지 돌자루처럼 가지고 갈 것처럼 보였다.

"저는 평생 기회가 없었어요."

남자가 숨을 내쉬었다.

"학생일 때도 나중에 일할 때도. 지금 또 기회가 없어요. 신이 용서하고 좋게 기억하여 제 이모는 벨마르 바닷가 근처에 아주 좋은 땅을 유산으로 물려주셨어요. 그래서 저는 거기에 작은 호텔을 짓기로 마음먹었죠. 돈을 빌려 서둘러 지었어요. 호텔은 크지 않지만 2년간 조용하고 편안하게 먹고 살았어요. 지난가을 어느 날 나를 망치게 하는 어떤 일이 생겼어요."

남자는 나를 쳐다보고 깊게 숨을 내쉬었다.

갈색 눈에 두려움이나 포기의 마음이 언뜻 보였다.

"9월 말에 발생했어요. 여름이 끝나고 마지막 휴양객들도 이미 떠났어요. 호텔은 텅 비었죠. 겨울을 준비했어요. 정말 겨울에는 벨마르에도 내 호텔에도 아무도 오지 않아요.

저녁 8시경에 제가 TV를 보고 있는데 문에서 누가 벨을 눌렀어요. 일어나 나갔지요. 제 앞에 약 18살 정도의 아가씨가 서 있었어요. 나중에야 20살 이상인 것을 알았죠. 저는 아가씨를 쳐다봤어요.

처음에 길을 잃어 다른 무언가를 찾는다고 생각했어요.

하지만 호텔에 빈방이 있냐고 물어보더군요.

호텔이 영업하지 않는다고 이미 문에서 말했어야 했는데 당황했어요.

아가씨가 키가 크고 아름다우며 긴 금발 머리에 무화과색 눈동자를 가졌어요. 전에 본 적이 있거나 아니면 꿈을 꾸는 듯했어요.

정말로 여름 내내 벨마르에서 지냈으며 어디에도 가지 않았어요. 전에 보았다는 것은 거의 불가능해요.

제 꿈은 항상 고통스럽고 무의미해요.

자주 수학 여선생님 꿈을 꿔요.

수학은 저를 많이 괴롭혔지요.

나중에야 아가씨를 실제로 몇 번 본 것을 알았어요.

TV에서 보았지만 그 날 저녁에는 확신하지 못했어요.

아가씨는 제 앞에 서서 '차를 몰고 가다가 호텔을 보았다'라고 작게 설명했어요. 호텔 이름 '바다별'이 매우 아가씨 맘에 들었데요.

결코, 바다별을 본 적이 없어서 아가씨는 호텔 앞에 차를 세웠데요.

제 호텔은 작고 소박하고 둘레에는 겨울에도 운영하는 더 크고 현대적 호텔들이 있었지요. 저의 호텔'바다별'은 해안가 위의 하얀 조개를 닮았어요. 이유는 알 수 없지만 제가 아가씨를 초청한 것이죠.

아가씨의 작은 웃음이나 커다란 무화과 색 눈이 저를 유혹했거나 아니면 제 호텔 이름이 마음에 들었겠지요?

아가씨가 들어왔어요.

가을에는 아무도 오지 않기에 혼자 머물 것이라고 설명하자 정확히 원하는 바라고 대답했어요.

9월 말에 요리사와 호텔에서 일하는 두 명의 여직원을 해고했기 때문에 저녁 식사를 제공할 수 없다고 사과했더니 이미 저녁을 먹었다고 대답했지요.

저는 커피를 권했지만, 샴페인 포도주 한 병을 주문하고 방으로 가져다 달라고 요청했어요.

오늘 저녁 무언가를 축하하기 원했지만, 무엇인지 말하

지 않았고 감히 물어볼 용기도 없었어요.

단순히 왜 혼자 축하하는지 놀랐지만, 제가 너무 호기심 있거나 아마 관여하고 싶어 한다고 생각하지 않도록 아무 말도 하지 않았어요.

예, 지금 이야기할 때 아가씨가 조금 이상해 보인 것이 기억나네요.

첫째, 호텔에 혼자 있고 싶어 했고, 둘째 혼자 축하하기를 원했고, 셋째 혼란스럽게 하는 무언가를 물었지만, 그때 그것에 대해 그다지 주의를 기울이지 않았어요.

두 번이나 제가 혼자 있냐고 물어서 저는 '예'라고 대답했지요. 외계인처럼 아가씨를 보았어요.

제 호텔에는 보통 나이든 성인들이 왔기에 아가씨는 정말 바다에서 헤엄쳐 나온 바다별 같았어요.

지금도 숲속 딸기에서 나는 냄새의 향수를 느끼고 그 속에서 빠져나올 수 없는 깊고 밝은 눈에 빠져 있어요.

아가씨의 작은 웃음은 조금 슬펐지만 8월의 해변 모래처럼 따뜻했어요.

가장 마음에 드는 방을 고르라고 모든 방을 보여주었지요. 정말로 방은 고급스럽진 않지만, 아가씨는 단순하게 가구가 놓인 방을 더 좋아한다고 말했어요.

'마음에 든다'가 아니라 '좋아한다'라고 말했지요.

그것을 잘 기억하고 아직도 기타 소리를 닮은 아가씨 목소리가 들려요. 바다가 보이는 방을 골랐고 방에 들어가자 곧 창문을 열었어요.

커튼을 젖히자 바다가 마치 방 안으로 찰랑거리는 듯했어요.

창문 앞에는 바다가 은빛 대초원처럼 끝없이 넓게 펼쳐져 있지요.

이 밤 9월의 마지막에 바다는 조용하고 마치 자는 듯했어요. 그 위로 크고 잘린 수박처럼 달이 흔들렸어요.

시원한 바람이 불고 올리브의 쓴맛, 생선, 소금, 김, 어린 시절부터 이미 알고 있고 평생 잊을 수 없는 향기를 느꼈어요.

항구에서 음악과 함께 유명한 그리스 노래를 부르는 남자의 목소리가 날아오는 듯했는데 아마 제게만 그런 것 같았어요.

열린 창 앞에 서 있는 아가씨를 바라보았죠.

바람은 긴 금발 머리를 어루만지고 하얀 바지, 하얀 블라우스 입은 아가씨 때문에 저는 꿈을 꾸고 있다고 생각했어요.

제 호텔에 요정이 왔어요.

객실에 어둠이 깃들고 오직 아가씨 옷이 인(燐)처럼 하얗게 빛났어요.

혼자 있도록 했지요. 몇 분 뒤 큰 잔 하나와 함께 샴페인 포도주를 가져다주었어요. 아가씨는 계속해서 창 앞에 서 있고, 제가 문을 열고 술병과 잔을 벽 거울 옆 탁자 위에 두는 소리를 들었는지 알지 못해요.

이 밤 저는 오랫동안 잠을 이룰 수 없었어요.

움직이지 않고 누워있었지요.

'왜 이 아가씨가 완전히 혼자 이곳에 왔을까요?
바다에서 나온 듯한데 무엇을 축하할까요?'

아마 아침 무렵에 나는 잠이 들었어요.

일어났을 때 모든 호텔은 고요함, 깊은 적막만이 가득해
마치 바다가 아직 자고 있어 파도의 철썩이는 소리나 갈
매기 울음도 들리지 않은 듯했어요. 아가씨가 이미 떠났
다고 믿고 그 때문에 조금 화가 났지요.

말하자면 어제저녁에 아가씨가 호텔에 온 것인지 의심하
기 시작할 지경이었죠. 점심때까지 조용해서 마치 저 혼
자 있는 듯했어요.

벌써 12시 가까이 되어 참지 못해 아직 자고 있는지 보
려고 객실로 갔어요.

문을 두드렸지만 아무 대답이 없었어요.

문을 열었는데 잠겨 있지 않아서 객실로 들어가서 저는
얼음처럼 굳었어요. 자고 있었어요.

아니, 하얀 옷을 입은 채 침대 위에 누워있었어요.

샴페인 포도주병은 따져 있지도 않았어요.

가까이 다가갔지요. 차가웠어요.

저는 어떻게 1층으로 내려왔는지 어떻게 경찰서에 전화
했는지 기억이 나지 않아요.

여러 시간 저를 조사한 경찰관들에 관해 묻지 마세요.

작고 알려지지 않은 제 호텔은 우주의 중심이 되었어요.

저 세계로 멀리 떠나려고 바다별을 선택한 아가씨는 유

명 가수 이나 바니나인 것을 비로소 알았어요.

언론인과 기자들 때문에 호텔 문을 닫을 수 없었어요.

밤낮으로 와서 묻고 심문하고 사진을 찍었어요. 온 나라 사람들이 저를 알게 되었지요.

그러나. 선생님, 제 고통은 끝나지 않았어요.

제 호텔은 숙박을 원하는 사람 모두에게 매우 작았지요.

저보고 호텔 이름을 바꾸라고 제안하는 어떤 사람도 왔어요.

호텔 이름을 이나 바니나로 바꿔야 한다고 말했지요.

저는 바다별은 아름다운 이름이고 정확히 이나 바니나의 관심을 끌었다고 자세히 설명했어요.

그러나 동의하지 않고 저를 위협하기 시작했어요.

제가 이나 바니나의 사진을 호텔의 객실, 현관, 복도에 걸도록 강요했어요. 내 허락도 받지 않고 알지 못하는 남자들이 내 호텔을 널리 알리기 시작했고, 뒤에 광고 캠페인을 만들었기 때문에 호텔 수입의 일부를 내도록 하는 계약서에 서명하라고 요구했어요.

불쌍한 이나 바니나는 조용히 떠났지만 지금 여러 사람은 여자를 이용해 돈 벌기를 원해요.

낮이나 밤이나 호텔에는 이나 바니나의 노래가 울려 퍼졌어요.

저는 힘이 없었어요.

제 작은 바다별은 완전히 사라지고 그 자리에 광고와 돈을 위한 기계가 돌아가고 있어요.

전에 자주 호텔에 오던 나이 지긋한 성인은 사라지고 지금 여기에는 늑대처럼 울부짖고 밤새도록 술 마시는 10대들이 있어요. 선생님!

술 취한 10대들이 호텔의 모든 것을 무너뜨려요.

제 이웃 벨마르에 있는 다른 호텔 주인들은 저를 부러워하기 시작하고 지금은 최대한 빨리 저를 없애려고 계획해요.

지금 바다별은 한 달 동안 벨마리에 있는 모든 다른 호텔이 버는 만큼 돈을 벌기 때문에 제가 행복한 별 아래에서 태어났다고 사람들이 말해요.

두 번이나 제 호텔을 불 지르려고 했지만 성공하지 못했어요.

저는 결코 이런 악몽을 경험하는 일이 제게 일어나리라고 짐작조차 못 했지요. 지금 나는 호텔을 팔아야 할지 말지 무엇을 할지 알지 못해요. 저의 불쌍한 이모는 제게 벨마르에 있는 땅을 유산으로 물려줄 때 얼마나 기뻐했는데요. 제가 행복하리라 믿었지요."

멀리서 기차 기적 소리가 들려왔다.

알지 못하는 남자는 플랫폼을 바라보더니 뒤에 천천히 일어났다.

남자는 내게 위로를 기다리지 않았다.

자신은 혼자고 아무도 자신을 도와줄 수 없음을 이미 알고 있다.

13. MARA STELO

La viro estis malalta, dika kaj kalva. Oni ne povis diveni kiom aĝa li estis, ĉu pli ol kvindek aŭ li proksimiĝis al kvindekaj jaroj. La restoracio estis preskaŭ malplena, sed li sidiĝis ĉe la tablo, ĉe kiu mi sidis. Ĵus mi tagmanĝis kaj trankvile mi trinkis kafon. La nekonata viro ĉirkaŭrigardis. Li kvazaŭ hezitis ĉu resti aŭ ne en la restoracio. Eble li hazarde eniris ĝin. Vagonaro venos post kvardek minutoj, sed ŝajne la viro ne atendis vagonaron. Li ne portis nek sakon, nek valizon. Kiam li eniris la restoracion, mi rimarkis, ke liaj manoj estas en la poŝoj de la pantalono. Venis la kelnero kaj la nekonata viro mendis nur kafon. Poste li direktis rigardon eksteren tra la fenestro. Mi sentis, ke li deziras alparoli min, sed li hezitis. Eble tial li eniris la restoracion por alparoli iun. Mi havis nenion kontraŭan, ke li alparolu min. Mi enuis, ne rapidis. Estis iu el la molaj majaj posttagmezoj, kiam la suno malrapide subiris, la reloj brilis helblue kaj la verdaj mazutaj makuloj inter la ŝpaloj, similis al smeraldoj.

La nekonata viro subite ekhavis kuraĝon, tusis seke kaj demandis min kien mi veturos.

- Al Burgas - respondis mi.

- Mi ankaŭ veturos al Burgas - tuj aldonis li - kaj de tie al Belmar.

Mi alrigardis lin.

- En Belmar mi havas hotelon - klarigis la viro.

Mi ne komprenis kial li diris tion. Ĉu li fieris aŭ deziris klarigi al mi kial li veturas al Belmar. Tamen post tiu ĉi enkonduko, li decidis, ke li jam trankvile povas konversacii kun mi. Io turmentis lin kaj li deziris rakonti ĝin al iu, ĉar verŝajne se li ne rakontos ĝin, li portos tiun ĝin kiel sakon da ŝtonoj al Burgas kaj al Belmar.

- Tutan vivon mi ne havis ŝancon - elspiris li - nek kiel lernanto, nek poste, kiam mi laboris. Nun mi denove ne havas ŝancon. Mia onklino, Dio absolvu ŝin, hela estu la memoro pri ŝi, testamentis al mi bonegan grundon en Belmar, proksime al la maro kaj mi decidis konstrui tie etan hotelon. Mi prunteprenis monon kaj rapide konstruis ĝin. La hotelo ne estis granda kaj du jarojn silente kaj trankvile mi vivtenis min de ĝi. Pasintan aŭtunon tamen okazis io, kiu ruinigis min.

La viro alrigardis min kaj profunde elspiris. De liaj kaŝtankoloraj okuloj gvatis timo aŭ eble rezignemo.

- Okazis je la fino de septembro. La somero finiĝis kaj la lastaj ripozantoj jam foriris. Malplena estis la hotelo. Mi preparis min por la vintro. Ja, vintre neniu venas, nek en Belmar, nek en mian hotelon. Ĉirkaŭ la oka vespere, kiam mi spektis la televidnovaĵojn, iu sonoris ĉe la pordo. Mi eliris. Antaŭ mi staris junulino, ĉirkaŭ dekokjara. Nur poste mi eksciis, ke ŝi estis pli ol dudekjara. Mi alrigardis ŝin. Unue mi opiniis, ke ŝi eraris kaj serĉas iun alian, sed ŝi demandis min ĉu estas liberaj ĉambroj en la hotelo. Mi devis jam ĉe la pordo diri al ŝi, ke la hotelo ne funkcias, sed mi embarasiĝis. La junulino estis alta, bela kun longaj blondaj haroj kaj figkoloraj okuloj. Ŝajne mi jam vidis ŝin aŭ eble mi sonĝis ŝin, ja tutan someron mi pasigis en Belmar kaj nenien mi iris. Ne eblis, ke mi vidis ŝin antaŭe. Miaj sonĝoj ĉiam estas turmentaj kaj sensencaj. Ofte mi sonĝas mian instruistinon pri matematiko, la matematiko tre turmentis min. Nur poste mi komprenis, ke vere foje mi vidis la junulinon. Mi vidis ŝin en la televido, sed dum tiu vespero mi ne estis certa.

La junulino staris antaŭ mi kaj mallaŭte ŝi klarigis, ke ŝi veturis aŭte kaj rimarkis la hotelon. Tre plaĉis al ŝi ĝia nomo — "Mara Stelo". Neniam ŝi vidis maran stelon kaj tial ŝi haltigis la aŭton antaŭ la hotelo.

Mia hotelo estas eta kaj modesta, ĉirkaŭ ĝi estas pli grandaj kaj pli modernaj hoteloj, kiuj funkcias ankaŭ vintre. Mia "Mara Stelo" similas al blanka konko sur la mara bordo. Mi ne scias kial, sed mi invitis ŝin. Ĉu ŝia rideto aŭ ŝiaj grandaj figkoloraj okuloj sorĉis min, aŭ eble tio, ke al ŝi plaĉis la nomo de mia hotelo.

La junulino eniris. Mi klarigis, ke ŝi estos sola, ĉar dum aŭtuno neniu venas kaj ŝi respondis, ke ĝuste tion ŝi deziras. Mi pardonpetis, ke mi ne povas proponi al ŝi vespermanĝon, ĉar je la fino de septembro mi maldungas la kuiristinon kaj la du virinojn, kiuj prizorgas la hotelon, sed ŝi respondis, ke ŝi jam vespermanĝis. Mi proponis al ŝi kafon, sed ŝi mendis botelon da ĉampana vino kaj petis, ke mi portu ĝin en la ĉambron. Ĉivespere ŝi deziris festi ion, sed kion, ŝi ne diris kaj mi ne kuraĝis demandi ŝin. Mi nur miris, kial ŝi festos sola, sed nenion mi diris, por ke ŝi ne pensu, ke mi estas tre scivola kaj eble impertinenta.

Jes, nun, kiam mi rakontas, mi rememoras, ke ŝi ŝajnis al mi iom stranga. Unue ŝi deziris esti sola en la hotelo, due, ŝi deziris festi sola kaj trie, ŝi demandis ion, kiu konfuzis min, sed tiam mi ne tre atentis pri ĝi. Ŝi dufoje demandis ĉu mi estas sola kaj mi respondis - jes.

Mi rigardis ŝin kiel eksterterulinon. En mian hotelon ordinare venas pli aĝaj, pli maturaj personoj kaj ŝi estis vere kiel mara stelo, kiu elnaĝis el la maro. Eĉ nun mi perceptas ŝian parfumon, kiu odoris je arbaraj fragoj kaj mi dronis en ŝiaj profundaj helaj okuloj, el kiuj mi ne povis elnaĝi. Ŝia rideto estis iom trista, sed varma kiel la aŭgusta stranda sablo. Mi montris al ŝi ĉiujn ĉambrojn, por ke ŝi elektu tiun, kiun plej plaĉis al ŝi. Vere la ĉambroj ne estas luksaj, sed la junulino diris, ke ŝi pli ŝatas modeste meblitajn ĉambrojn. Ŝi diris "ŝatas" kaj ne "al mi plaĉas". Tion mi bone memoras kaj mi ankoraŭ aŭdas ŝian voĉon, kiu similis al gitara sono.

Ŝi elektis ĉambron, kiu rigardas al la maro kaj kiam ŝi eniris ĝin, ŝi tuj malfermis la fenestron. Ŝi tiris la kurtenon kaj la maro kvazaŭ enplaŭdis en la ĉambron. Antaŭ la fenestro la maro vastiĝis senlima kiel arĝenta stepo. Tiun ĉi vesperon, je la fino de septembro, la maro estis silenta, kvazaŭ ĝi dormis. Super ĝi kiel granda, tranĉita akvomelono lulis sin la luno. Blovis friska vento kaj mi sentis la amaran guston de olivoj, fiŝoj, salo, algoj, la gusto, kiun mi konas jam de mia infaneco kaj kiun tutan vivon mi ne povas forgesi. Ŝajnis al mi, ke de la haveno alflugis muziko kaj viraj voĉoj, kiuj kantis konatan grekan kanton, aŭ eble nur ŝajnis al mi. Mi rigardis la junulinon, kiu staris antaŭ la malfermita fenestro. La vento flirtis ŝiajn longajn blondajn harojn, ŝi estis vestita en blanka pantalono kaj en blanka bluzo, kaj mi opiniis, ke mi sonĝas. En mian hotelon venis nimfo. En la ĉambro regis mallumo kaj nur ŝiaj vestoj blankis kiel fosfo. Mi lasis ŝin sola. Post kelkaj minutoj mi portis al ŝi la ĉampanan vinon kun unu granda glaso. Ŝi daŭre staris antaŭ la fenestro kaj mi ne komprenis ĉu ŝi aŭdis, kiam mi malfermis la pordon kaj metis la botelon kaj la glason sur la tablon ĉe la murspegulo.

Tiun ĉi nokton mi longe ne povis ekdormi. Mi kuŝis senmova. Kial tiu ĉi junulino venis ĉi tien tute sola? Ŝi kvazaŭ elnaĝis el la maro kaj kion ŝi festos? Eble mi ekdormis ĉe la mateniĝo. Kiam mi vekiĝis en la tuta hotelo regis silento, profunda silento, kvazaŭ la maro ankoraŭ dormis kaj ne aŭdeblis nek la plaŭdo de la ondoj, nek la krioj de la mevoj. Mi certis, ke la junulino foriris kaj mi iom koleris pro tio. Eĉ mi komencis dubi ĉu ŝi entute venis hieraŭ vespere en la hotelon. Ĝis tagmezo estis silento, kvazaŭ mi estis sola. Jam antaŭ la dekdua horo mi ne eltenis kaj mi iris al la ĉambro, por vidi ĉu ŝi ankoraŭ dormas. Mi frapetis al la pordo, sed neniu respondis. Poste mi malfermis la pordon, ĝi ne estis ŝlosita, mi eniris la ĉambron kaj mi glaciiĝis. Ŝi dormis. Ne. Ŝi kuŝis sur la lito vestita en siaj blankaj vestoj. La botelo de la ĉampana vino ne estis malfermita. Mi proksimiĝis. Ŝi malvarmis. Mi ne memoras kiel mi descendis sur la unuan etaĝon, kiel mi telefonis al la polico. Ne demandu min pri la policanoj, kiuj dum kelkaj horoj pridemandis min.

Mia hotelo eta kaj nekonata iĝis la centro de la universo. Mi eksciis, ke la junulino, kiu elektis de mia "Mara Stelo" forveturi al transa mondo, estis la fama kantistino Ina-Vanina. Pro ĵurnalistoj kaj raportistoj mi ne povis fermi la pordon de la hotelo. Ili venis tage kaj nokte, ili demandis, pridemandis kaj fotis. En la tuta lando oni ekkonis min. Tamen ne finiĝis miaj turmentoj, kara sinjoro. Mia hotelo estas tute malgranda por ĉiuj, kiuj deziras tranokti en ĝi.

Venis iuj, kiuj proponis, ke mi ŝanĝu la nomon de la hotelo. Ili diris, ke la hotelo devas nomiĝi "Ina-Vanina". Mi detale klarigis al ili, ke "Mara Stelo" estas bela nomo kaj ĝuste ĝi altiris la atenton de fraŭlino Ina-Vanina. Tamen ili ne konsentis kaj komencis minaci min. Ili devigis min pendigi ŝiajn fotojn en la ĉambroj, en la vestibloj kaj en la koridoroj de la hotelo. Sen mia permeso la nekonataj viroj komencis vaste reklami mian hotelon kaj poste ili postulis, ke mi subskribu kontraktojn, laŭ kiuj mi estas deviga pagi al ili parton el la enspezoj de la hotelo, ĉar ili organizis la reklaman kampanjon de mia hotelo.

La povra Ina-Vanina. Ŝi kviete forpasis kaj nun diversaj uloj deziras gajni monon el ŝi. Tage kaj nokte en la hotelo tondras la kantoj de Ina-Vanina. Mi estas senpova. Mia eta "Mara Stelo" tute malaperis kaj sur ĝia loko ekfunkciis maŝino por reklamo kaj mono.

La seriozaj plenaĝaj homoj, kiuj antaŭe kutimis veni en la hotelon, malaperis kaj nun en ĝi estas adoleskuloj, kiuj dum la tuta nokto hurlas kiel lupoj kaj drinkas.

Kara sinjoro, la ebriaj adoleskuloj rompis ĉiun en la hotelo. Miaj najbaroj, la posedantoj de la aliaj hoteloj en Belmar, komencis envii min kaj nun ili planas kiel pli rapide likvidi min. Ili diras, ke mi naskiĝis sub feliĉa stelo, ĉar nun "Mara Stelo" gajnas tiom da mono dum unu monato, kiel ĉiuj aliaj hoteloj en Belmar kune. Dufoje ili provis bruligi mian hotelon, sed ili ne sukcesis.

Mi neniam supozis, ke iam kun mi okazos tio, ke mi travivos tiun ĉi koŝmaron. Kaj nun mi ne scias kion fari, ĉu mi vendu la hotelon aŭ ne? Mia povra onklino, kiel ŝi ĝojis, kiam ŝi testamentis al mi la grundon en Belmar. Ŝi kredis, ke mi estos feliĉa.

De malproksime aŭdiĝis lokomotiva fajfo. La nekonata viro rigardis al la kajo kaj poste malrapide ekstaris. Li ne atendis de mi konsilon. Li sciis, ke li estas sola kaj neniu povus helpi lin.

갈매기는 빗속에서 멀리 날지 않는다

"이 야영지에서는 연애를 용납하지 않을 거야."
교사인 카르보브는 외쳤다. 학생들은 아침 식사를 멈추고 머리를 들었다. 학생들은 모두 카르보브가 에미와 밀코에 대해 말하는 것을 알았다.
어젯밤에 그들은 또다시 자정이 넘어 돌아왔다.
야영지에 돌아왔을 때. 시라소니처럼 매복한 카르보브는 거의 1시간 동안 방방 뛰면서 꾸짖기 시작했다.
"내일 플레벤으로 너희들을 돌려보낼 거야." 협박하면서 마른 나뭇가지처럼 뼈가 앙상한 집게손가락을 흔들었다.
"하루라도 나는 이런 수치스러움을 용납하지 않을 거야. 너희들은 여기 운동하러 왔지, 연애하러 오지 않았어. 부끄럽지 않니?"
에미와 밀코는 고개를 숙인 채 듣고 있지만, 입술 구석에 작은 웃음이 엿보였다.
두 사람은 사랑에 빠진 두 마리 산 비둘기같았다.
에미는 불룩한 사탕 지팡이 같은 밝고 부드러운 머리카락에 장난기 많은 다람쥐 눈을 가졌다. 밀코는 키가 크고 광대뼈가 있는 초콜릿 색 얼굴에 홀쭉하게 말랐다.

둘은 항상 같이 있었는데 아침에는 훈련 시간에. 오후에는 해변에서. 저녁에는 무도장에서 함께했다. 둘은 짧은 거리의 달리기 연습을 했다.

에미는 여자 청년들과 함께 밀코는 남자 청년들과 같이 했다.

해변에서 둘은 항상 다른 동료들과 조금 떨어져 앉았고. 파도를 바라보며 시간 내내 이야기하거나 서로의 손을 만지며 조용하게 있어 빛나는 대리석으로 조각한 두 개의 조각상을 닮았다.

둘의 눈길은 목마르게 서로를 찾고, 운동으로 조화가 이루어진 몸은 팽팽한 줄처럼 떨렸다.

"에미, 무슨 생각을 하니?" 밀코가 물었다.

에미는 밀코를 쳐다보았다. 에미의 눈 속에는 재치있고 장난스러운 빛이 놀고 있다.

"너에 대해" 에미가 대답했다.

감정 때문인지 자신에게조차 예상하지 못한 진지함 때문인지 에미의 목소리는 조금 떨렸다.

"그리고 너는?"

"나?" 밀코는 즉시 대답하지 않았다.

"나는 달리기에서 더 나아지고 싶어."

"너는 잘하고 있어." 에미가 끼어들었다.

"나는 최고가 되고 싶어. 하지만 때로 달리기보다 다른 무언가를 할 수 있을까 궁금해."

"왜? 너는 잘 달리고 경기를 좋아하잖아."

"모든 사람은 뭔가를 위해 태어난다고 생각해. 누구는 달리기 선수로, 누구는 비행기 조종사로 또 누군가는 운동선수로 태어나. 그리고 나는…."

"달리기가 아니라면 우리는 서로 알지 못했을 거야."

"사람들은 무엇을 위해 태어났는지 언제나 알까?" 밀코가 말을 계속했다

"나는 몰라. 아마 사람들은 평생 무엇을 위해 태어났는지 모를 거야."

"나는 어떻게 운동을 시작했을까?"

"어떻게?" 에미가 말했다.

"그것이 네 마음에 들지, 안 그래?"

"나는 아직도 무언가를 만들고 더 잘 만들기 좋아해."

"우리 앞에는 시간이 많아."

"하지만 시간 역시 달려가고 우리는 그것을 잡을 수 없어."

"그만하자. 오늘 너는 너무 철학적이야.
무슨 일 있었니?"

에미는 팔을 뻗어 밀코를 껴안고 키스했다.

정확히 이 순간에 카로보브의 벼락 치는 소리가 들렸다.

"너희들 또다시? 어떻게 그것을 너희들은 허용했니?
왜 모든 학생 앞에서 해변에서 서로 키스하니?"

에미와 밀코는 빠르게 서로 멀어졌다.

카르보브는 숨 쉬는 것조차 허락하지 않고 항상 어디에서나 괴롭혔다.

"나는 더 참을 수 없어. 이 캠프에 온 것을 후회해."
밀코가 말했다.

"마음 쓰지 마, 선생님은 그런 분이라는 것을 알잖아."
에미가 달래려고 했다.

"맞아, 하지만 우리는 여기에 훈련뿐만 아니라 휴식하러 왔어. 우리를 숨기는 것만으로도 지쳤어.
플레멘에서 우리는 숨고, 여기에서도 끊임없이 숨어야 해." 밀코는 바다를 바라보았다.

바다는 끝없이 파란 비행장을 닮아 이 순간 그 위로 커다란 비행기가 착륙할 것이다. 밀코는 곧바로 그 위에 뛰어올라 파도 위를 달리고 싶고, 뛰면서 수평선의 파란 선을 건널 것이다. 광활함이 나를 취하게 만든다. 일주일 전에는 결코 바다를 본 적이 없지만, 이제는 파도에서, 하늘빛 무한함 속에서 눈을 뗄 수 없다.

플레멘에서 작은 집들이 서로 누르는 듯한 교외 지역에서 살았다.

과일나무 그늘에 마당이 있고 지역에서 모든 것, 집, 마당, 나무, 사람조차 작게 보였다. 거기에는 그런 고요함이 가득해서 사람들은 정말 여기에 누가 사느냐고 물었다. 거리는 여름날 먼지로 덮여 있다. 아무 일도 일어나지 않고 조용함을 깨는 어느 것도 없다.

가끔 밀코는 운동을 시작하지 않았다면, 에미를 만나지 않았다면, 아마 자기 날들은 길고 끝없는 고속도로에 차례대로 늘어선 회색빛 미루나무를 닮았다고 오래도록 생각했다.

어느 운동경기가 열린 소피아에서 돌아왔을 때인 5월을 결코 잊을 수 없다. 고속버스가 빠르게 왔다.

저녁은 알아차리지 못하게 내려와 어두운 비단 베일이 들판으로 천천히 날아가는 것처럼 모든 것이 황혼 속에 잠겼다.

에미는 옆자리에 앉았다. 오랫동안 서로를 알고 있었지만, 친구는 아니었다. 에미는 2살 연상이고 항상 밀코에게 약 올릴 거리를 찾거나 놀렸다.

그때 버스에서 밀코는 창밖을 바라보며 앉아 있었고, 에미는 눈을 감고 있어 마치 자는 듯 보였다. 아니면 아마 어려운 경기로 피곤했을 것이다. 하지만 갑자기 밀코가 떨기 시작했다.

에미는 조용히 가까이 다가가, 입술로 뺨에 키스했다.

이 예상치 못한 따뜻한 키스가 뜨거운 난로 위에 놓인 눈덩이처럼 밀코를 녹였다.

돌이 된 것처럼 움직이지 않고 앉아 무엇을 할지 알지 못했다. 밀코는 천천히 에미에게 몸을 돌려 둘의 입술이 어떻게 함께 했는지 이해하지 못했다. 이것이 밀코의 삶에서 일어난 가장 길고 달콤한 키스였다.

얼마나 계속했는지 알지 못하지만 둘이 떨어졌을 때 밀코는 마치 구름 위로 어딘가 높이 날아가는 듯했다.

가슴속으로 끓는 커피처럼 뜨거움이 흘렀고 눈길은 오랫동안 해를 바라본 것처럼 흐릿했다.

그때 버스 안에서 아무도 키스를 보지 못했다.

둘은 끝자리 부드럽고 깊은 좌석에 앉아 있었다.

이날부터 둘은 떼래야 뗄 수 없게 되었고 모든 학교에서 둘의 부모도 우정을 알게 되었다.

밀코의 아버지는 끊임없이 되풀이했다. "아직도 이 아가씨랑 다니니? 정말로 그 여자애는 너보다 2살 연상이다. 네 친구는 어린 여자 친구를 두고 있어. 그리고 너는…."

그 말을 듣는 것이 밀코에게는 이미 지겨운 일이다.

아버지는 매우 약삭빠르다고 생각한다.

밀코도 꼭 자기를 닮기를 원했다.

종업원인 아버지에게 가장 중요한 것은 사례비이고 끊임없이 많은 돈을 번다고 자랑했다. 최신식 차를 가지고 오직 비싼 음료만 마시고 외국산 담배를 피운다.

밀코가 돈을 달라고 하면 아버지는 말했다.

"그렇게 우리는 서로 동의하지 못한다. 그 여자를 대접하기 위한 돈은 안 줄 것이다. 그 아이는 너에게 이득을 보고 있어."

밀코에게는 아버지를 가끔 보는 것이 더 좋다.

그러나 아직 학생이라 자립할 수 없다.

적어도 여기 캠프에서 아버지에 대해 생각하지 않기를 원했지만, 여기에서 카르보브는 편안하게 내버려 두지 않았다.

카르보브가 도덕주의자처럼 행동하며 파수꾼 역할을 하지만, 눈길은 소시지를 좇는 개처럼 어린 여자아이 뒤를 따라가는 것을 모두 알고 있다.

아마 에미가 카르보브의 마음에 들었는 듯 그래서 사냥 개처럼 에미를 괴롭혔다.

엄격한 캠프 질서에도 불구하고 저녁에 학생들에게 무도 장에 가는 것은 허락되었다.

무도장은 밤 11시까지 열렸다. 거기에서 학생들에게 술 은 허용되지 않고 외부인은 들어올 수 없다.

'남부의 열기'라고 부르는 무도장은 야영지에 가까이 있 고 해변 위 거대한 동물 모양이다.

언젠가 파도가 바위에 동굴을 팠고, 지금 여기에 탁자, 의자, 사람들이 춤추는 무도장이 있다.

동굴은 모두 조명이 절반뿐이고 벽에는 단지 몇 개의 등 불만 연한 레몬색 빛을 뿜고 있다.

춤추는 사람들의 길어진 그림자가 기적의 손가락처럼 벽 위로 달려갔다.

무도장에서 블루스 음악 소리가 났다.

에미는 일어나 밀코에게 춤추자고 청했다.

에미의 부푼 밝은 머리카락은 바다 냄새가 났다.

블라우스를 통해 가냘픈 몸매와 부드럽고 잘 익은 사과 를 닮은 두 개의 젖가슴을 느꼈다.

멜로디는 바다 파도 위 깊은 배 위에 있는 것 같이 두 사람을 흔들었다.

갑자기 누군가가 밀코의 어깨를 두드렸다.

몸을 돌리자 뒤에 카르보브가 서 있다.

"에미랑 춤을 출 수 있겠니?" 카르보브가 웃었다.

카르보브의 검은 눈은 멧돼지 눈처럼 빛났고 브랜디 술 냄새가 났다.

학생들은 술 마실 수 없지만, 교사들은 그렇지 않았다.

"안 돼요." 에미는 거칠게 대답하고 밀코의 손을 잡고 출구로 끌고 갔다. 카르보브는 그들 뒤에 못 박힌 것처럼 고정된 눈길로 무도장에 남겨졌다.

에미와 밀코는 밖으로 나갔다.

바닷바람이 몸을 어루만졌다. 오늘 밤바다는 화가 났다.

파도가 울부짖고 화가 난 듯 바위를 쳤다.

털이 무성한 거인처럼 검은 구름이 바다 위로 기어갔다.

부두에는 배가 묶여있는데 파도가 가차 없이 배를 때리고 있다. 커다란 북을 누가 치는 것처럼 둔하게 때리는 소리가 메아리친다.

마치 풀려나 자유롭게 파도 위에서 헤엄치려고 애쓰듯 배는 모래 위의 물고기처럼 위아래로 뛰었다.

얼마 동안 에미와 밀코는 그것을 바라보고 배가 힘겹게 숨 쉬고 고통받는 것처럼 느꼈다.

하늘에는 별 하나 보이지 않았다.

바람은 해변의 북쪽에 군인처럼 줄지어 선 플라타너스, 나뭇가지에서 쉿 소리를 낸다.

손에 손잡고 에미와 밀코는 모래 위에 섰다.

조용히 천천히 걸었다. 때로 멈추어 갈망하듯 서로 키스했다. 둘은 신을 벗고 맨발로 해안가에서 파도를 맞으며 걸었다. 더 센 파도가 바지 가장자리를 적셨다.

갑자기 비가 내렸다. 빗방울이 낟알처럼 때리기 시작했다. 에미는 멈추어 하늘로 손을 뻗었다.

비가 얼굴, 머리카락, 팔, 어깨, 블라우스와 바지 위로 떨어졌다. 에미는 잉크 빛 하늘로 높이 팔을 뻗은 여사제를 닮았다.

"이리 와." 밀코가 말했다. "다 젖을 거야."

"중요하지 않아. 나는 갈매기야. 갈매기는 비를 두려워하지 않아. 갈매기는 비에 자신을 숨기지 않아."

"이리 와. 얼어 버릴 거야."

밀코는 에미를 껴안고 해양구조대 탑으로 걸어갔다.

금속 탑이 보호했지만 바람이 세게 더욱 세게 불었다.

바람이 탑을 밀어내고 비는 폭포처럼 둘 위로 쏟아졌다.

번개가 치기 시작했고 천둥소리가 났다.

에미는 밀코를 세게 끌어당겼다.

두 번째 더 센 번개가 하늘을 갈랐다.

밀코는 둘레를 보았다. 에미의 입에 키스했다.

에미가 키스에 답하기 전에 세 번째 번개가 날카로운 불의 혀처럼 빛을 냈다. 무서운 천둥소리가 들렸다.

서로 껴안은 채 에미와 밀코는 모래 위로 넘어졌다.

비는 움직이지 않는 둘의 몸 위로 쏟아졌다.

번개가 두 사람의 하얀 옷을 밝혀 주었다.

에미의 풀어헤친 팔은 갑자기 총에 맞은 갈매기의 날개를 닮았다.

14. LA MEVOJ NE FORFLUGAS EN LA PLUVO

– En tiu ĉi tendaro mi ne toleros amindumojn! – kriis Karbov, la instruisto.

La lernantoj ĉesis matenmanĝi kaj levis kapojn. Ĉiuj sciis, ke Karbov parolas pri Emi kaj Milko. Hieraŭ nokte ili denove revenis post la noktomezo. Kiam ili eniris la tendaron, Karbov, kiu embuskis kontraŭ ili kiel linko, saltis kaj komencis riproĉi ilin preskaŭ dum tuta horo.

– Morgaŭ mi revenigos vin en Pleven! – li minacis ilin kaj svingis sian ostecan montrofingron, similan al seka branĉo. – Eĉ tagon mi ne toleros tiun ĉi senhontecon. Vi estas ĉi tie por sporti kaj ne amindumi. Ĉu vi ne hontas?

Emi kaj Milko aŭskultis lin kun klinitaj kapoj, sed en la anguloj de iliaj lipoj videblis ridetoj. Ambaŭ similis al du ekamiĝintaj turtoj. Emi havis helan molan hararon kiel pufa sukervato kaj ludemaj sciuraj okuloj. Milko estis alta, svelta kun osteca kaj ĉokoladkolora vizaĝo. Ili ĉiam estis kune, matene dum la trejnado, posttagmeze – sur la plaĝo kaj vespere – en la dancejo. Ambaŭ trejnis kuradon je mallongaj distancoj. Emi – ĉe la junulinoj kaj Milko – ĉe adoleskuloj.

Sur la plaĝo ili ĉiam sidis iom flanke de la aliaj geknaboj kaj dum horoj ili konversaciis, kontemplantaj la ondojn, aŭ ili silentis, tuŝantaj la fingrojn, unu de alia kaj ili similis al du statuoj, skulptitaj el brila marmoro. Iliaj rigardoj soife serĉis unu la alian kaj iliaj sportaj harmoniaj korpoj tremis kiel streĉitaj kordoj.

- Pri kio vi meditas, Emi? – demandis Milko.

Emi alrigardis lin. En ŝiaj okuloj ludis ruzetaj kaj petolemaj briloj.

- Pri ni – respondis ŝi.

Ŝia voĉo iom ektremis, ĉu pro emocio aŭ ĉu pro la neatendita eĉ por ŝi mem sincereco.

- Kaj vi?

- Mi – ne respondis tuj li. – Mi deziras esti pli bona en la kurado.

- Vi estas bona – interrompis lin Emi.

- Mi deziras esti la plej bona, sed de tempo al tempo mi demandas min ĉu mi scipovas ion alian ol kuri.

- Kial? Vi kuras kaj vi ŝatas konkuri.

- Mi opinias, ke ĉiu naskiĝas por io. Iuj naskiĝas kuracistoj, aliaj – pilotoj, triaj – sportistoj. Kaj m i···

- Se ne estis la kurado, ni ne konus unu la alian.

- Kiam oni komprenas por kio li naskiĝis? – daŭrigis Milko.

- Mi ne scias. Eble estas homoj, kiuj la tutan vivon ne komprenas por kio ili naskiĝis.

- Kiel mi komencis sporti?

- Kiel? – diris Emi. – Tio plaĉas al vi, ĉu ne?

- Mi ŝatus fari ankoraŭ ion kaj fari ĝin bone.

- Antaŭ ni estas tiom da tempo.

- Sed la tempo ankaŭ kuras kaj ni ne povas kapti ĝin.

- Lasu. Hodiaŭ vi estas ege filozofiema. Kio okazas al vi?

Emi etendis brakojn, ĉirkaŭbrakis Milkon kaj kisis lin. Ĝuste en tiu ĉi momento aŭdiĝis la tondra voĉo de Karbov.

- Ĉu vi denove? Kiel vi permesas tion al vi? Kial vi kisas unu la alian sur la strando antaŭ ĉiuj.

Emi kaj Milko rapide malproksimiĝis unu de alia.

Karbov ne permesis al ili eĉ spiri kaj ĉiam kaj ĉie persekutis ilin.

- Mi ne plu eltenas. Mi bedaŭras, ke mi venis en tiun ĉi tendaron — diris Milko.

- Ne zorgu. Vi scias, ke li estas tia — provis trankviligi lin Emi.

- Jes, sed ĉi tie ni venis ne nur trejni, sed ankaŭ ripozi. Ektedis min nur kaŝi nin. En Pleven ni kaŝas nin kaj ankaŭ ĉi tie, senĉese ni devas kaŝi nin.

Milko alrigardis la maron. Ĝi similis al senfina blua dromo, sur kiu ĉimomente surteriĝos grandega aviadilo. Li emis tuj eksalti kaj ekkuri sur la ondoj kaj kurante li trapasos la bluan linion de la horizonto. La vasteco ebriigis lin. Antaŭ semajno li neniam estis vidinta la maron kaj nun li ne povis disŝiri la rigardon de la ondoj kaj de la lazura senlimo. En Pleven li loĝis en periferia kvartalo, kie la dometoj kvazaŭ premis unu la alian. La kortoj kuŝis sub la ombroj de fruktaj arboj kaj ĉio en la kvartalo aspektis eta: la domoj, la kortoj, la arboj, eĉ la homoj. Tie regis tia silento, ke oni demandis sin ĉu vere iu loĝas ĉi tie? La stratoj dormetis polvaj en la someraj tagoj.

Nenio okazis kaj nenio rompis la silenton. Foje-foje Milko meditis, ke se li ne komencis sporti kaj se li ne renkontis Emi, eble liaj tagoj similas al la grizaj poploj, vicigitaj ĉe longa kaj senfina aŭtovojo.

Li neniam forgesos la majan vesperon, kiam ili revenis el Sofio de iu sporta konkuro. Aŭtobuso veturis rapide. La vespero falis nesenteble kaj ĉio dronis en krepusko, kvazaŭ malhela silka vualo flugis lante super la kamparo. Emi sidis apud li. Ili delonge konis unu la alian, sed ne estis geamikoj. Emi estis dujara pli aĝa ol li kaj ŝi ĉiam serĉis pretekston inciti Milkon aŭ ŝercis pri li. Tiam en la aŭtobuso li sidis rigardanta tra la fenestro kaj Emi estis kun fermitaj okuloj kaj ŝajnigis, ke dormas. Aŭ eble ŝi estis laca post la malfacila konkuro, sed subite Milko ektremis. Emi silente proksimiĝis al li kaj ŝiaj lipoj tuŝis lian vangon. Tiu ĉi neatendita varma kiso degelis lin kiel neĝpilko, metita sur varma forno. Li ne sciis kion fari, sidis senmova kiel ŝtonigita. Milko malrapide turnis sin al Emi kaj li ne komprenis kiel iliaj lipoj kunfandiĝis. Tiu ĉi estis la plej longa kaj dolĉa kiso, kiu okazis en lia vivo. Milko ne sciis kiom da tempo ĝi daŭris, sed kiam li kaj Emi malproksimiĝis, li kvazaŭ flugis ie alte super la nuboj. En lian bruston verŝiĝis varmo kiel de bolanta kafo kaj lia rigardo estis malklara kvazaŭ li longe fiksirigardis la sunon. Tiam en la aŭtobuso neniu vidis ilian kison. Li kaj Emi sidis ĉe la fino en la molaj kaj profundaj sidlokoj.

De tiu ĉi tago Emi kaj Milko iĝis nedisigeblaj kaj la tuta lernejo kaj iliaj gepatroj eksciis pri ilia amikeco. La patro de Milko konstante ripetis:

- Ĉu vi ankoraŭ vagas kun tiu ĉi knabino? Ja, ŝi estas du jarojn pli aĝa ol vi. Viaj amikoj havas pli junajn amikinojn kaj vi···

Al Milko jam tedis aŭskulti tion. La patro opiniis sin tre sprita. Li deziris, ke Milko nepre similu al li. Por la patro, kiu estis kelnero, la plej gravaj estis bakŝiŝoj kaj konstante li fanfaronis, ke li perlaboras multe da mono. Li havis modernan aŭton, trinkis nur multekostajn trinkaĵojn kaj fumis eksterlandajn cigaredojn. Kiam Milko deziris monon de li, la patro diris:

- Tiel ni ne interkonsentos. Mi ne donos al vi monon por regali tiun ulinon. Ŝi nur profitas de vi.

Por Milko pli bone estis pli malofte vidi la patron, sed Milko ankoraŭ estis lernanto kaj ne povis mem vivteni sin. Li deziris, ke almenaŭ ĉi tie, en la tendaro, li ne pensu pri la patro, sed ĉi tie Karbov ne lasis lin kaj Emi trankvilaj.

Ĉiuj sciis, ke Karbov nur ŝajnigas sin moralisto kaj ludas la rolon de la ordgardanto, sed lia rigardo kuris post la knabinoj kiel hundo post kolbaso. Eble Emi plaĉis al Karbov kaj tial li persekutis ŝin kiel leporhundo.

Malgraŭ la severa tendara ordo, oni permesis al la lernantoj vespere esti en la dancejo. La dancejo funkciis ĝis la dekunua horo nokte. Tie oni ne permesis al la lernantoj alkoholaĵon kaj la dancejon ne povis eniri fremduloj. La dancejo, kiu nomiĝis "Sudpasio", troviĝis proksime al la tendaro, sur la mara bordo, en vasta groto. Iam la ondoj fosis la groton en la roko kaj nun ĉi tie estis tabloj, seĝoj kaj dancejo, kie oni dancis. La tuta groto estis duonlumigita, nur kelkaj lanternoj sur la muroj ĵetis palan citronkoloran lumon kaj la longigitaj ombroj de la dancantoj kuris sur la muroj kiel miraklaj figuroj.

En la dancejo eksonis bluso. Emi staris kaj invitis

Milkon al danco. Ŝia pufa hela hararo odoris je maro. Tra ŝia bluzo Milko sentis ŝian teneran korpon kaj ŝiajn mamojn, similajn al du glataj maturaj pomoj. La melodio lulis ilin, kvazaŭ ili estis en profunda boato sur la maraj ondoj. Subite iu frapetis la ŝultron de Milko. Li turnis sin. Malantaŭ li staris Karbov.

- Ĉu mi povus danci kun Emi — ridis Karbov.

Liaj nigraj okuloj brilis kiel la okuloj de apro kaj li odoris je brando. La lernantoj ne rajtis drinki, sed tio ne koncernis la instruistojn.

- Ne povas — respondis krude Emi, premis la manon de Milko kaj ektrenis lin al la elirejo.

Karbov restis sur la dancejo kiel alnajlita kun rigardo fiksita post ili.

Emi kaj Milko iris eksteren. La mara vento karesis ilin. Ĉinokte la maro furiozis. La ondoj bruegis kaj kolere batis la rokojn. Nigraj nuboj kiel vilaj gigantoj rampis super la maro. Ĉe la kajo estis ligita boato, kiun la ondoj puŝis senkompate. Eĥiĝis obtuzaj frapoj, kvazaŭ iu frapis grandegan tamburon. La boato saltis kiel fiŝo sur la sablo, supren kaj malsupren, kvazaŭ penigis malligiĝi kaj eknaĝi libere sur la ondoj. Iom da tempo Emi kaj

Milko rigardis ĝin kaj ŝajnis al ili, ke la boato peze spiras kaj ĝemas. Eĉ unu stelo ne videblis sur la firmamento. La vento siblis en la branĉoj de la platanoj, vicigitaj kiel soldatoj ĉe la norda flanko de la plaĝo.

Man' enmane Emi kaj Milko ekiris sur la sablo. Ili paŝis silente kaj lante. De tempo al tempo ili haltis kaj soife kisis unu la alian. Ambaŭ demetis la ŝuojn kaj nudpiedaj vadis en la ondoj ĉe la bordo. La pli fortaj ondoj malsekigis la randojn de iliaj pantalonoj.

Subite ekpluvis. La gutoj komencis frapi kiel plumbgrajnoj. Emi haltis kaj etendis brakojn al la ĉielo. La pluvo falis sur ŝian vizaĝon, harojn, brakojn, ŝultrojn bluzon kaj pantalonon. Ŝi similis al pastrino, kiu etendas brakojn alte al la inka firmamento.

– Venu – diris Milko – vi malsekiĝos.

– Ne gravas. Mi estas mevo. La mevoj ne timas pluvon. La mevoj ne kaŝas sin de la pluvo.

– Venu, vi frostos.

Milko ĉirkaŭbrakis ŝin kaj ili ekiris al la turo de la plaĝsavantoj. La metala turo ŝirmis ilin, sed la vento iĝis pli forta kaj pli forta. Ĝi puŝis la turon, la pluvo verŝiĝis sur ilin kiel akvofalo. Eklumis fulmo kaj aŭdiĝis tondro. Emi kuntiriĝis ĉe Milko. Dua, pli forta fulmo tranĉis la ĉielon. Milko ĉirkaŭrigardis. Li kisis lipojn de Emi. Antaŭ ŝia kisrespondo tria fulmo ekbrilis kiel akra fajra lango. Aŭdiĝis terura tondro. Brakumantaj unu la alian Emi kaj Milko falis sur la sablon. La pluvo surverŝis iliajn senmovajn korpojn. La fulmoj lumigis iliajn blankajn vestojn. La vastigitaj brakoj de Emi similis al flugiloj de subite forpafita mevo.

보이지 않는 어린이

나는 공원에 앉아 부드러운 10월의 햇살을 즐기며 마치 기적과 같은 세상에 있는 것 같다.

오래된 호두나무의 가지와 이파리가 푸른 새의 날개같이 내 머리 위로 길게 늘어져 있다.

내 앞에는 가을의 꽃들이 붉어지고 누렇게 되어, 빛나는 작은 해와 작은 불꽃을 닮았다.

오솔길 위에서 유모차 안에 있는 아이에게 조그맣게 웃으며 젊은 엄마들이 산책한다.

너무 조용하게 보인다.

일상의 소음이나 어린아이의 떠드는 소리, 자동차 소리, 가까운 차도에서 보통 흘러나오는 브레이크 소리도 들리지 않는다.

나는 생각에 잠긴 채 앉아있는데 갑자기 눈앞에 어린이가 나타났다.

어디서 왔는지 보지 못했다.

우연히 의자 밑에서 나온 것은 아닐까?

조용히 앞에 서서 호기심을 가지고 나를 쳐다봤다.

나는 어린이를 알아차리지 않고 계속해서 공원에서 산책

하는 젊은 엄마들을 조용히, 담담하게 보는 체했다.

그들은 여러 색깔의 가을 겉옷을 입어 매우 아름다운 검은 머리카락과 노란 머리카락을 가진 여자 요정들을 닮았다.

알지 못하는 어린이가 계속해서 움직이지 않고 내 앞에서 있어 짜증이 나기 시작해서 조금 화난 듯이 쳐다보았다.

아마 나이는 7~8세 정도였고 초록색 바지와 빨간색 사각형 무늬의 웃옷을 입었다.

머리카락은 해바라기처럼 노랗고 눈은 작은 전구처럼 파랗고 어린이다운 호기심으로 가득 차 있다.

참지 못하고 말을 하려는데 어린이가 먼저 물었다.

"아저씨, 제가 보여요?"

많은 질문을 들었지만 이같이 이상한 질문은 처음이다.

더 주의 깊게 쳐다보았다.

정말, 나는 그 아이를 본다.

하지만 그 질문이 무슨 뜻일까?

어린이는 조심스럽게 질문을 되풀이했다.

"아저씨, 제가 보여요?"

"물론" 조금 화가 나서 대답하고, "그러면 나는 보이니?"

"예, 매우 잘 보여요." 어린이가 말했다.

그리고, "하지만, 제가 보이는지 여쭙고 싶어서요."

"그래 잘 보여. 너는 대략 7~8세고 키는 110cm 정도에 초록색 바지와 빨간색 사각형 무늬의 웃옷을 입고 있구나. 금발의 파란 눈을 가지고 있어."

"예" 어린이는 대답에 만족하고 말했다.

"정말로 저를 보실 수 있네요."

어린이가 가려고 몸을 돌렸는데 멈춰 세웠다.

"왜 보여요 하고 물었니? 잘 보지 못하니?"

"저는 잘 봐요. 아저씨는 흰머리가 난 노인이시고, 따뜻해서 비가 오지 않게 보인데도 우산을 갖고 잿빛 외투에 둥근 모자를 쓰고 계세요. 그러나 여러 번 제가 보이지 않아 사람들이 저를 보지 못한 듯해요. 그래서 보이냐고 여쭤본 거예요."

"그것은 불가능한데", 나는 놀랐다.

이 어린이는 보통사람이 갖지 못한 환상을 가졌거나 아주 건강하지는 못한 듯했다.

"예, 사람들이 저를 보지 못해요. 이미 확실해요, 이런 면에서." 어린이가 계속 말했다.

"예를 들어 학교에서 돌아와 집에 들어가면 아빠는 컴퓨터 앞에 앉아 '학교 다녀왔어요' 하고 인사해도 알아차리지도 못하고 듣지도 않아요.

저녁에 엄마가 부엌에서 요리해요. 제가 부엌에 들어가 '영어 공부 책 사셨어요?' 하고 여쭤봐도 직장동료와 전화로 이야기하면서 나를 보지도 듣지도 않아요.

두 달 전에 정말 때때로 제가 보이지 않는다고 확신했어요. 학교에서 여자 선생님의 질문에 대답한다고 손을 들었는데 나를 보지 않고 다른 어린이들에게 물었어요. 어젯밤에 아빠가 엄마에게 무슨 비밀을 말하고 싶어서 제가 방에 있는 것을 알지 못한 채 조금 작은 소리로 말씀하셨어요.

'새로운 다리를 건설하라고 내게 지시하도록 윗사람을 매수해야 해요.'

저는 무슨 주제인지 이해는 못 하지만 아빠가 뭔가 비밀을 말한다고 알았어요.

이번 주에는 정말 보이지 않는다고 확신하고 싶었어요.

가게에 들어가 초콜릿을 들고 돈을 내지 않고 조용히 나왔어요. 아무도 나를 보거나 알아채지 못했어요. 베로니카는 우리 반에서 가장 예쁜 여자아이입니다. 베로니카는 폭포처럼 긴 머리카락에 초콜릿 색 눈을 가졌어요. 등에 메는 가방은 파랗고 현대적이라 가장 예뻐요. 쉬는 시간에 가까이 다가가 뽀뽀를 했어요. 화를 내거나 울기 시작하리라 생각했는데 사과처럼 붉어지기만 했어요. 정말 저를 알아차리지 못한 것 같아요. 그래요. 정말로 때때로 안 보여요.

그것이 좋은 건지 나쁜 건지 알 수 없어요. 여러 번 아빠 엄마랑 말하고 싶지만, 저를 보지도 않고 옆에 제가 있는 것도 알아차리지 못해요.

어제 엄마가 우셔서 왜 우는지 왜 슬픈지 여쭤봤어요. 그러나 듣지도 않고 보지도 않아요.

아빠에게 베로니카가 우리 반에서 가장 예쁜 여자아이라고 말해도 아빠 역시 듣거나 나를 보지도 않아요. 컴퓨터 앞에 앉아서 화면만 쳐다봅니다."

어린이가 작게 웃음을 머금자 가장 슬픈 어린이의 웃음을 본 것처럼 느껴졌다.
이름이 무엇이고 어디에 사느냐고 묻고 싶었지만, 어린이는 떠나가고 나는 어린이의 탄식 소리만 오직 느낄 뿐이었다.

15. NEVIDEBLA KNABO

Mi sidis en la parko, ĝuis la molan oktobran sunon kaj kvazaŭ mi estis en mirakla mondo. La branĉoj kaj folioj de olda juglanda arbo klinis sin super mia kapo kiel verda birda flugilo. Antaŭ mi ruĝis kaj flavis aŭtunaj floroj, similaj al etaj sunoj aŭ flametoj, kiuj brilis. Sur la aleoj kun infanveturiloj promenis junaj patrinoj, kiuj ridetis al siaj idoj en la veturiloj. Ŝajnis al mi, ke estis tre silente. Ne aŭdiĝis la ĉiutaga bruo, la infanaj krioj, la aŭtomobiloj, la siblo de la bremsiloj, kiuj ordinare alflugas de la proksima ŝoseo.

Mi sidis endroninta en miaj pensoj kaj subite antaŭ mi aperis knabo. Mi ne vidis de kie li venis. Ĉu hazarde li ne eliris el sub la benko? La knabo silente staris antaŭ mi kaj rigardis min esploreme. Mi ŝajnigis, ke mi ne rimarkis lin kaj mi daŭrigis rigardi la junajn patrinojn, kiuj trankvile, senzorge promenadis en la parko. Ili estis vestitaj en buntkoloraj aŭtunaj roboj kaj similis al belegaj nigroharaj kaj blondharaj feinoj.

La nekonata knabo daŭre senmove staris antaŭ mi, tio komencis inciti min kaj iom kolere mi alrigardis lin. Eble li estis sep aŭ ok jara, surhavis verdan pantalonon kaj ĉemizon je ruĝaj kvadratoj. Liaj haroj estis blondaj kiel helianto kaj liaj okuloj bluaj kiel globetoj, plenaj je infana scivolemo.

Mi ne eltenis, sed antaŭ ekparoli lin, la knabo min demandis:

-Sinjoro, ĉu vi vidas min?

Ĉion mi atendis, sed ne similan strangan demandon. Mi alrigardis lin pli atente. Jes, mi vidis lin, sed kion signifas lia demando.

La knabo ĝentile ripetis la demandon:

-Sinjoro, ĉu vi vidas min?

-Kompreneble – respondis mi iom kolere – kaj ĉu vi vidas min?

-Jes, tre bone – diris la knabo.

-Kaj...

-Sed mi ŝatus demandi ĉu vi vidas min?

-Jes, perfekte. Jen, vi estas sep aŭ ok jara. Eble vi estas alta unu metron kaj dek centimetrojn. Vi surhavas verdan pantalonon kaj ĉemizon je ruĝaj kvadratoj. Vi estas blonda kaj viaj okuloj estas bluaj.

-Jes − diris la knabo, kontenta de mia respondo. − Do, vi vere vidas min.

Li turnis sin por foriri, sed mi haltigis lin.

-Kial vi demandis min ĉu mi vidas vin? Ĉu vi ne vidas bone?

-Mi bone vidas. Vi estas maljuna viro, blankhara, vestita en grizkolora kostumo kun pluvombrelo, malgraŭ ke estas varme kaj verŝajne ne pluvos, kaj vi surhavas rondĉapelon, sed ŝajnas al mi, ke foje-foje mi estas nevidebla, la homoj min ne vidas. Tial mi demandis vin ĉu vi vidas min?

-Ho, tio ne eblas − miris mi.

Verŝajne tiu ĉi knabo havis neordinaran fantazion aŭ eble li ne estis tute sana.

-Jes, oni ne vidas min kaj mi jam estas certa en tio − ripetis la knabo. - Ekzemple mi revenas de la lernejo, eniras hejmen, paĉjo sidas antaŭ la komputilo, mi diras al li "bonan tagon", sed li ne rimarkas min kaj ne aŭdas min. Vespere panjo kuiras en la kuirejo. Mi eniras la kuirejon kaj demandas ŝin ĉu ŝi aĉetis por mi lernolibron pri angla lingvo, sed ŝi parolas telefone kun sia kolegino kaj ne vidas min, nek aŭdas min.

Antaŭ du monatoj mi konstatis, ke vere de tempo al tempo mi estas nevidebla. En la lernejo mi levas manon por respondi al la demando de la instruistino, sed ankaŭ ŝi ne vidas min kaj ŝi ekzamenas alian knabon aŭ knabinon.

Hieraŭ vespere paĉjo deziris diri ion sekretan al panjo, sed li ne rimarkis, ke ankaŭ mi estas en la ĉambro kaj li iom mallaŭte diris: "Mi devas subaĉeti la estron, por ke li ordonu, ke mi konstruu la novan ponton." Mi ne komprenis pri kio temis, sed mi komprenis, ke paĉjo diris ion sekretan.

Ĉisemajne mi deziris konvinkiĝi, ke mi vere estas nevidebla. Mi eniris vendejon, mi prenis ĉokoladon kaj mi trankvile eliris sen pagi ĝin. Neniu min vidis nek rimarkis. Veronika estas la plej bela knabino en nia klaso. Ŝi havas hararon longan kiel akvofalon kaj ŝiaj okuloj estas ĉokoladkoloraj. Ŝia dorsosako estas la plej bela - blua kaj moderna. Dum la paŭzo mi proksimiĝis al ŝi kaj kisis ŝin. Mi opiniis, ke ŝi koleros al mi, ke ŝi eĉ ekploros, sed ŝi nur ruĝiĝis kiel pomo. Verŝajne ankaŭ ŝi ne rimarkis min. Jes, certe de tempo al tempo mi estas nevidebla. Mi ne scias ĉu tio estas bone aŭ ne. Foje-foje mi deziras paroli kun paĉjo kaj panjo, sed ili ne vidas min kaj ne rimarkas, ke mi estas apud ili. Hieraŭ panjo ploris kaj mi demandis ŝin kial ŝi ploras kaj kial ŝi estas trista, sed ŝi ne aŭdis kaj ne vidis min. Mi diris al paĉjo, ke Veronika estas la plej bela knabino en nia klaso, sed ankaŭ li ne aŭdis kaj ne vidis min. Li sidis antaŭ la komputilo kaj strabis la ekranon.

La knabo ekridetis kaj al mi ŝajnis, ke mi vidis la plej tristan knaban rideton. Mi deziris demandi lin kio estas lia nomo kaj kie li loĝas, sed li ekiris kaj mi nur eksentis lian ĝemsopiron.

니나와 어린 남자아이

이번 봄은 니나와 보안에게 좋지 않게 시작했다.
전혀 난데없이 집주인이 세 사는 집을 '나가 달라'고 말
했다.
"우리는 다시 다른 살 곳을 찾아야 해요." 니나가 말하
면서 눈에 어둠이 가득했다.
"우리 틸리오 마을로 가서 삽시다."
보얀이 제안했다.
그곳에는 보얀의 부모님이 남겨준 작은 집이 있었다.
"틸리오로?" 니나가 물었다.
니나는 그리스형의 오똑한 코, 깊숙한 진줏빛 눈, 그리고
날씬한 몸매를 한 예쁜 여자로, 아마 큰 도시에서 가장
아름다운 배우 중 한 명일 것이다.
둘이 틸리오에 살기 시작하여 니나는 마당에서 꽃 정원
을 관리할 수밖에 없었다.
어딘가에서 한번은 꽃과 색, 조용함이 마음을 위한 가장
좋은 치료제라는 글을 읽었다.
어느 아침에 화단에서 꽃을 손질하고 있을 때 누가 자신
을 쳐다보는 것을 느꼈다.

고개를 들어, 마당 울타리 옆 길가에 움직이지 않고 선 채, 니나를 쳐다보고 있는 7세나 8세 정도 된 어린아이를 놀라서 바라보았다.

"이름이 뭐니?" 니나가 물었다.

"페트코예요." 아이가 대답했다.

"여기 살고 있니?"

"예, 저 언덕 너머에 살아요," 말하면서 언덕을 가리켰다.

아이의 커다란 눈은 푸른 호두나무의 열매를 닮았고 생각에 잠겨 꿈꾸는 듯이 쳐다보았다.

빨갛고 검은 사각형 무늬가 있는 여러 가지 색의 웃옷에, 몸에 이미 짧게 된 바지를 입어, 발목이랑 하얀 긴 양말이 보이고 낡고 검은 신발을 신었다.

마을에서 아이가 학교에 다니기 시작할 때 부모들이 그와 비슷한 검은 신을 사주었다.

무성한 머리카락은 고슴도치의 털을 닮았다.

울타리 옆에 서서 니나를 쳐다보았다. 아마 1시간 정도 지나자, 나중에는 소리 없이 나타난 것처럼 그렇게 조용히 사라졌다.

다음 날 아침 다시 페트코를 울타리에서 보고 매우 놀랐다.

지금 아이는 어제처럼 움직이지 않고 조용하게 서 있다.

일하느라 쓰던 목장갑을 벗어놓고 마당 문으로 가까이 가서 문을 열고 말했다.

"페트코야, 들어오렴."

아이는 마치 그것을 기다린 듯했다.

곧바로 마당 안으로 들어왔다.

니나는 집으로 안내했다. 집 앞에서는 보얀이 탁자와 의자가 있는 정자를 만들고 있다.

아이를 앉도록 하고 집에서 딸기 주스, 사과, 크래커를 가지고 나왔다.

먹으라고 권했지만 단지 니나만 쳐다볼 뿐 움직이지 않았다.

니나가 조금 더 세게 권하자 크래커를 조금 먹고 딸기 주스를 조금 마셨다.

"학교에 다니니? 페트코야."

"예, 2학년이에요." 아이가 대답했다.

"형제나 자매가 있니?"

"예, 저보다 나이 많은 누나가 두 명 있어요."

그렇게 수다스럽지 않게 옆에 앉아 자기를 쳐다보는 아이가 매우 상냥한 듯했다.

10분 뒤 페트코는 일어나 조용히 '안녕히 계세요.' 인사하고 커다란 열매 같은 눈으로 니나를 다시 한번 쳐다보고 나갔다. 다음 날 또 나타났다.

아이가 여기서 떠나지 않고 밤새도록 처음 만났던 바로 그 울타리 옆에 움직이지 않고 서 있다고 느꼈다.

아이가 거기 없다면 무엇인가 확실히 모자란 듯하고, 둘레가 그렇게 예쁘고 친절하고 매력 있는 것이 될 수 없다고 여겼다. 아침은 그렇게 해같이 빛나거나 새롭지 않을 것이고, 하늘은 그렇게 파랗게 빛나지 않을 것이다.

니나는 경작용 호미를 놓고 다시 문을 열고 페트코가 안으로 들어오도록 초대했다.

오늘 이른 아침에 판매점에서 과자와 우유를 샀다. 우유를 따르고 따뜻한 과자를 담은 접시를 내놓았다. 과자와 우유에 손을 대려고도 하지 않았지만 니나가 계속 권하자 마침내 과자를 먹기 시작했다.

"친구가 있니? 페트코야. 같이 노니?"

"예, 같이 놀아요." 아이가 대답했다.

"어디서 노니?" 니나가 물었다.

아이와 가족에 대해 더 알기 원했지만 먼저 친구에 관해 물었다.

"숲에서 놀아요." 설명했다.

"뭐 하고 노니?"

"숨바꼭질하거나 나무 열매를 모아요."

"왜 매일 여기 오니?"

이 질문은 페트코를 놀라게 하고 당황하게 했다.

바다처럼 긴 눈꺼풀을 깜빡이면서 모든 아이처럼 거짓말하지 않고 솔직하고 자연스럽게 대답했다.

"아줌마가 너무 예뻐서요." 지금 니나는 당황했다.

정말 이런 소리 듣기를 기대하지 않았다.

"뭐라고?" 아이를 쳐다보았다.

"아줌마는 매우 예뻐요." 페트코는 되풀이하면서 뻣뻣하게 일어선 머리카락을 가지런히 했다.

니나는 쳐다보기만 했다.

둘은 조용히 움직이지 않고 앉아있다.

이 아이는 알지 못하게 소리 없이 마음속에 들어와 상냥하고 따뜻함을 느끼도록 했다,

몇 분 뒤 페트코는 일어나 조용히 집을 나갔다.

거의 온종일 니나는 아이에 대해 생각했다.

'부모는 누구일까? 좋은 학생일까?' 스스로 물어보았다.

이런 질문에 대답할 수도 없다.

가족의 이름조차도 알지 못한다.

아이에 대해 스스로 생각해야 할 순간이 온 듯했다.

아마 아이는 있지도 않은데, 매일 아침에 푸른 호두나무 열매 같은 커다란 눈을 가진 어떤 아이가 와서 오랫동안 자신을 쳐다보고 나중에는 '아름답네요'라고 말하고 떠나간다고 상상하기만 한다.

아마 니나는 마음속 깊이 자신에게 와서 함께 이야기하고 엄마에게 대하듯 사랑해 주는 그런 어린아이를 가졌으면 좋겠다고 간절히 원했다.

이 깊고 조용한 마을에 아름답고 그림 같은 자연 속에서 아프지 않고, 현실에서 멀어지지 않고, 다른 존재하지 않는 세상에서 살지 않음을 느낄 수 없는가?

이웃 여자에게 페트코를 아느냐고 물어보리라 결심했다.

오후에 이웃 여자에게 갔다. 조금 이야기 나누고 매일 니나의 집 울타리에 서 있는 어떤 어린아이를 본 적이

없냐고 물었다.

"왜 못 보았겠어요?" 곧바로 대답했다.

"그 아이는 페트코예요. 아빠는 철도원이고 숲속에 살고
있어요."

"페트코, 맞아요," 니나가 말했다.

"페트코 엄마는 페트코를 낳다가 돌아가셨어요.
세 명의 고아가 남았죠, 페트코와 두 명의 누나.
아빠 스피리돈은 다시 결혼하지 않고 직접 아이들을 돌
봐요. 일하면서 암소를 키워요.
이번 가을에 페트코는 3학년이 될 거예요. 나는 지금 페
트코 선생인데 아이는 부지런하고 좋은 학생이에요."

오후에 니나와 보얀은 정자에 앉았다.

여름날은 천천히 지나갔다.

소나무 위로 떠 있는 해가 구릿빛 강물 속에 잠겨 있다.
하늘 위에 보이는 몇몇 작은 구름은 아이들 풍선과 비슷
하다. 보얀은 포도주를 잔에 따르고, 뒤에 집으로 들어가
오래된 외투를 들고나와 니나 어깨 위에 걸쳐 주었다.

정말 조금 추웠다. 산바람이 불었다.

"고마워요." 니나가 말했다.

"무슨 생각 해?" 보얀이 물었다.

"아침마다 와서 우리 집 울타리에 서 있는 어린아이에
대하여," 라고 니나가 대답했다.

"아마 뭔가를 훔치려고 오겠지," 보얀이 말했다.

이 예상치 못한 말이 니나를 흔들고 가슴을 찌를 듯했

다.

니나는 보얀을 쳐다보면서 아름다운 비둘기색 눈에 있던 작음 웃음이 곧 사라졌다.

"무슨 말이에요? 이 아이는 고아예요. 페트코 엄마는 출산 중에 죽었어요. 결코, 엄마라는 단어를 말한 적이 없어요."

보얀은 놀라며 니나를 쳐다보았다.

왜 그렇게 세게 화를 내는지 이해할 수 없었다.

어린아이가 엄마라는 단어를 한 번도 말하지 않은 것이 중요한 일인지 묻고 싶었지만 아무 말도 안 했다.

정말로 보얀과 니나는 자녀가 없고, 페트코가 와서 마당에 서 있을 때 니나가 더 예뻐지고 더 친절해지고 더 행복해진 것처럼 보얀에게는 보였다.

16. NINA KAJ LA KNABO

Tiu ĉi printempo komenciĝis malbone por Nina kaj Bojan. Tute neatendite la posedantoj de la domo diris, ke Nina kaj Bojan liberigu la luloĝejon.

- Ni devas denove serĉi alian loĝejon – diris Nina kaj ombro kovris ŝiajn okulojn.

- Ni loĝu en vilaĝo Tilio – proponis Bojan.

Ili havis tie etan domon, kiu restis de la gepatroj de Bojan.

- Ĉu en Tilio? – demandis Nina.

Ŝi estis bela virino kun rekta grektipa nazo, profundaj perlamotkoloraj okuloj kaj svelta korpo – eble unu el la plej belaj aktorinoj en la ĉefurbo.

Kiam ŝi kaj Bojan ekloĝis en Tilio, Nina decidis fari en la korto de la domo florĝardenon. Ie iam ŝi legis, ke la floroj, koloroj kaj la silento estas la plej bona kuracilo por la animo.

Ĉimatene, kiam ŝi fosis la bedon, ŝi eksentis, ke

iu rigardas ŝin. Nina levis kapon kaj mire vidis sep-ok jaran knabon, kiu senmova staris sur la strato ĉe la drata barilo de la korto kaj rigardis ŝin.

- Kiel vi nomiĝas? - demandis lin Nina.
- Petko - respondis la knabo.
- Ĉu vi loĝas ĉi tie?
- Jes - diris li - tie, malantaŭ la monteto - kaj li montris al la monteto.

Liaj grandaj infanaj okuloj similis al verdaj juglandaj nuksoj kaj lia rigardo estis pensema kaj revema. La knabo surhavis buntan ĉemizon je ruĝaj kaj nigraj kvadratoj kaj pantalonon, kiu jam estis mallonga por li, kaj videblis liaj maleoloj, liaj blankaj ŝtrumpoj kaj malnovaj nigraj ŝuoj. En la vilaĝoj similajn nigrajn ŝuojn la gepatroj aĉetis, kiam la infanoj komencis frekventi la lernejon. Lia densa hararo similis al erinacaj pikiloj.

Petko staris ĉe la barilo kaj rigardis Ninan. Tiel pasis eble horo, poste li nesenteble malaperis tiel kiel nesenteble li estis aperinta. Nina tre miris, kiam venontan matenon denove vidis Petkon ĉe la barilo. Kaj nun li denove staris silenta kaj senmova kiel hieraŭ. Nun ŝi demetis la ŝtofajn gantojn per kiuj ŝi laboris, proksimiĝis al la korta pordo, malfermis ĝin kaj diris:

- Eniru Petko, bonvolu.

La knabo kvazaŭ tion atendis. Li tuj eniris la korton. Nina gvidis lin al la domo, antaŭ kiu Bojan estis farinta laŭbon kun tablo kaj benko. Nina invitis la knabon sidiĝi kaj ŝi alportis el la domo sukon el rubuso, pomojn kaj kekson. Ŝi proponis al Petko manĝi, sed li nur rigardis ŝin kaj ne moviĝis. Nina iom pli insiste invitis lin kaj Petko apenaŭ manĝis el la kekso kaj trinkis iom el la rubusa suko.

- Ĉu vi lernas, Petko?

- Jes – respondis li – mi lernas en la dua klaso.

- Ĉu vi havas fraton aŭ fratinon?

- Jes, mi havas du fratinojn, kiuj estas pli aĝaj ol mi.

Petko ne estis tre parolema, sed Nina vidis, ke por li estas tre agrable sidi apud ŝi kaj rigardi ŝin. Post dek minutoj Petko ekstaris, mallaŭte diris al ŝi ĝis revido, denove alrigardis ŝin per siaj grandaj nuksaj okuloj kaj foriris.

La sekvan tagon li denove aperis kaj Nina havis la senton, ke li ne foriris de ĉi tie kaj la tutan nokton li staris senmova ĉe la barilo, ĝuste tie, kie ŝi unuan fojon rimarkis lin. Ŝajnis al Nina, ke se li ne estas tie, io certe mankos kaj ĉirkaŭe ne estos tiel bele, agrable kaj alloge. La mateno ne estos tiel suna kaj freŝa, kaj la ĉielo ne brilos tiel blue. Nina lasis la plugpioĉon, denove malfermis la pordon kaj invitis Petkon enen. Hodiaŭ frumatene ŝi estis aĉetinta en la vendejo kukon kaj lakton. Ŝi verŝis lakton en glason kaj metis antaŭ Petko teleron kun la varma kuko. La knabo ne kuraĝis tuŝi la kukon kaj la lakton, sed Nina insistis kaj li fin-fine ekmanĝis la kukon.

- Ĉu vi havas amikojn, Petko, ĉu vi kune ludas?
- Jes, ni ludas – respondis li.
- Kie vi ludas? – demandis Nina.

Ŝi deziris ekscii ion pli pri li, pri lia familio kaj tial ŝi unue demandis pri liaj amikoj.

- Ni ludas en la arbaro – klarigis Petko.
- Kion vi ludas?
- Ni kaŝas nin, ni kolektas strobilojn.
- Kaj kiel vi ĉiutage venas ĉi tien?

Tiu ĉi demando surprizis kaj konfuzis Petkon. Li palpebrumis per siaj longaj kiel cejanoj palpebroj, sed kiel ĉiu infano li ne povis mensogi kaj li respondis sincere kaj naive:

- Vi estas tre bela.

Nun Nina konfuziĝis. Ŝi ne atendis aŭdi ĝuste tion.

- Kion? – alrigardis ŝi lin.

- Vi estas tre bela – ripetis Petko kaj klinis sian hirtan hararon.

Nina nur rigardis lin. Ili sidis silente kaj senmove kaj ŝi eksentis, ke tiu ĉi knabo kvazaŭ nesenteble kaj senbrue eniris ŝian animon kaj tie, en la koro ŝi eksentis agrablan varmon.

Post kelkaj minutoj Petko ekstaris kaj kviete kaj silente foriris. Preskaŭ la tutan tagon Nina pensis pri li. Ŝi demandis sin kiuj estas liaj gepatroj kaj ĉu li estas bona lernanto? Demandoj al kiuj ŝi ne povis respondi, ŝi eĉ ne sciis lian familian nomon. Estis momentoj en kiuj ŝajnis al Nina, ke ŝi mem elpensis tiun ĉi knabon. Eble li ne ekzistas kaj Nina nur imagas, ke ĉiun matenon al ŝi venas iu knabo kun grandaj kiel verdaj juglandaj nuksoj okuloj, longe ŝin rigardas kaj poste diras al ŝi, ke ŝi estas bela kaj foriras. Eble Nina profunde en si forte deziris, ke estu tia knabo, kiu venu al ŝi, kiu parolu kun ŝi kaj amu ŝin kiel patrinon. Ĉu ĉi tie en la profunda vilaĝa silento kaj en bela pitoreska naturo ŝi ne malsaniĝis, ĉu nesenteble ŝi ne malproksimiĝis de la realo kaj ne ekvivis en alia neekzistanta mondo.

Nina decidis demandi la najbarinon ĉu ŝi ne konas Petkon. Posttagmeze ŝi iris al la najbarino. Ili iom babilis kaj Nina demandis ĉu ŝi ne rimarkis iun knabon, kiu ĉiutage ekstaras ĉe la barilo de Nina.

- Kiel ne – respondis tuj la najbarino. – Tio estas Petko, lia patro estas fervojisto kaj ili loĝas tie, ĉe la arbaro.

- Petko, jes – diris Nina.

- Lia patrino forpasis, kiam ŝi naskis lin. Restis tri georfoj – Petko kaj du pli aĝaj knabinoj. La patro Spiridon ne edziĝis denove kaj li mem zorgas pri la infanoj. Li laboras, bredas bovinon··· Ĉiaŭtune Petko lernos en la tria klaso kaj mi estas lia instruistino. Li estas diligenta, bona lernanto.

Posttagmeze Nina kaj Bojan eksidis en la laŭbo. La somera tago malrapide foriris. Super la pinarbaro la suno dronis en kupra rivero. Kelkaj nubetoj videblis sur la firmamento similaj al infanaj balonoj. Bojan verŝis vinon en la glasojn, poste eniris la domon, portis de tie malnovan mantelon kaj metis ĝin sur la ŝultrojn de Nina. Ja, estis iom malvarme, blovis montara vento.

- Dankon – diris Nina.
- Pri kio vi pensas? – demandis Bojan ŝin.
- Pri la knabo, kiu ĉiumatene venas kaj ekstaras ĉe nia barilo – respondis Nina.
- Eble li venas ĉi tien por ŝteli ion – diris Bojan.

Tiuj ĉi neatenditaj vortoj skuis kaj kvazaŭ pikis Ninan. Ŝi alrigardis lin kaj la rideto en ŝiaj belaj kolombkoloraj okuloj tuj malaperis.

- Kion vi parolas? – diris ŝi. – Tiu ĉi knabo estas orfo. Lia patrino mortis, dum la nasko. La knabo neniam prononcis la vorton "panjo".

Bojan mire alrigardis ŝin. Li ne povis kompreni kiel Nina tiel forte koleriĝis. Li deziris demandi ŝin ĉu gravas, ke la knabo neniam prononcis la vorton "panjo", sed li nenion diris. Ja, li kaj Nina ne havis infanon kaj ŝajnis al Bojan, ke de kiam la knabo venas kaj ekstaras ĉe la barilo de ilia korto, Nina kvazaŭ iĝis pli bela, pli trankvila kaj pli feliĉa.

호텔 '천국'

늦은 가을 오후였습니다.

하늘은 양철처럼 잿빛이고 나무는 시든 노란 잎이 녹슨 비늘처럼 땅으로 흩어져 내려 앙상했습니다. 비가 내렸고 바람이 강철선 위에서 연주하듯 쉿쉿하는 소리를 냈습니다.

나는 플레벤 이라는 도시에서 돌아왔습니다.

여행길에 몇 년 전에 선생으로 근무했고 아직 좋은 추억을 간직했던 스톤 이라는 마을을 지나쳤습니다.

나는 서두르지 않고 오랜 친구를 만나기로 했습니다.

마을의 중심지에 전 동료 선생님 스타멘의 집이 있었습니다

넓은 마당이 있는 노란색의 이층집은 지금 잡초와 덤불에 가득 차 있었습니다. 마당의 울타리는 옆으로 기울어져 있고, 치장 벽토는 산산조각이 났습니다. 몇 분 동안 잠긴 마당 문 앞에 서 있었습니다. 나는 왼쪽으로 오른쪽으로 두리번거렸지만 거리는 사람이 없어 누구에게 스타멘이 여기 사는지 안 사는지 물어볼 수가 없었습니다. 나는 이미 떠나려고 차를 향해 출발했는데 이웃 마당에

서 누가 나를 지켜보는 것을 느꼈습니다.

나는 돌아서서 울타리 사이 갈라진 구멍에서 불씨처럼 빛나는 두 눈동자를 알아차렸습니다.

눈동자는 열심히 내가 무엇을 하려는지 주의 깊게 살펴보았습니다.

할머니였지만 눈길이 족제비처럼 앞뒤로 움직이면서 나의 모든 행동을 뚫어지게 쳐다보는 것이 아주 활기찼습니다.

나는 울타리에 다가가서 인사하고 스타멘 선생님에 대해 여쭈어보았습니다.

"그분은 여기 살지 않아요." 할머니는 대답하였지만, 문은 열지 않았습니다.

"지금 어디 사시나요?"

할머니는 말이 없으시며 내게 말할 것인지 아닌지 망설였습니다. 그러나 아마도 내가 할머니께 예를 갖춘 덕분에 나를 믿을 수 있다고 느끼시고 조금 친절하게 설명해 주었습니다.

"겨울에는 여기 살지 않아요. 겨울에는 도시에 사는 딸네 집에서 살아요. 부인은 돌아가시고 여기에는 오직 여름에만 오신답니다."

나는 감사하고 출발하려고 했는데 할머니가 나를 세웠습니다.

"선생님이시지요? 처음에 도둑이나 강도로 짐작했어요. 오직 그런 사람들만 남이 살지 않은 집을 그렇게 자세히 살피거든요. 그러나 선생님을 곧 알아보지 못했어요. 아는 사람을 보면서도 어디서 선생님을 알게 되었는지 기억이 나지 않아요. 정말로 선생님이 우리 판코를 가르치셨지요. 그 녀석은 나쁜 학생이었지만 하나님의 은혜로 초등학교를 마쳤답니다."

이제야 나는 수학도 못 하고 문학도 못 했고 심지어 읽는 것조차 원활하지 못했던 무슨 판코가 있었다는 것이 기억이 났습니다.

사과처럼 붉은 얼굴에 키가 크고 건강했던 판코는 장난만 쳐서 여학생이나 여교사들이 교장 선생님에게 이른다고 판코를 두렵게 하곤 했습니다.

"나는 판코의 이모고 쎄사 할머니입니다."

할머니는 설명했습니다.

"이쪽으로 들어오세요."

크게 문을 열고 마당 안으로 초대했습니다.

"선생님, 몇 년 동안이나 여기에 오지 않았나요?"

"여러 해요."

할머니는 내게 집에 들어가자고 세게 재촉했지만 나는 그만두었습니다.

나는 마당에 머물렀고 할머니는 집 안으로 사라졌습니다.

곧 신선하고 잘 익은 사과가 든 자루를 가지고 돌아왔습니다.

"부디" 할머니가 말했습니다.

"맛을 보시고 언제 이곳에서 교사로 지냈는지 기억해 보세요."

나는 쎄사 할머니에게 작별 인사를 하고 떠났습니다.

운전하면서 나의 친구 스타멘에 대해 생각했습니다.

2년 전에 소피아에서 만났습니다.

"왜 수도에 있습니까?" 나는 그때 물었습니다.

"나는 이 부서에서 저 부서로 헤매면서 싸우고 있습니다."

나는 놀란 빛으로 쳐다보았습니다.

그 사람은 무례한 사람이 아니었고 싸운다는 것이 전혀 어울리지 않았습니다.

내가 누구와 싸우는지 알고 싶은 눈치를 채고 나에게 말했습니다.

"당신은 우리 마을에 있는 경기장을 알고 있지요.

언젠가 큰 노력을 기울여 그것을 만들었지요.

우리 스스로 의자, 탈의실, 목욕탕을 만들었지요. 둘레에 철 울타리를 세웠지요. 부드러운 초록 풀이 있는 멋진 경기장이었지요.

우리는 축구팀을 가지고 있었고 우리 아이들은 열심히 공놀이했지요. 경기장은 우리 모든 마을의 공동 재산이었는데 일부 이해할 수 없는 현재 부자들이 이 경기장을 사서 부수기 시작한다고 발표했어요. 그래서 나는 누가 이것을 팔고 부수라고 허가했는지 알려고 이 부서 저 부서 찾아다녔지만 헛수고였어요. 사람들이 나를 이 사무실 저 사무실 보냈지만 아무도 나의 질문에 대답을 못 해요. 이미 여러 달 동안 이쪽저쪽으로 다녔지만, 절대 포기하지 않을 겁니다. 나는 진실을 알 겁니다.

우리 마을 주민들은 경기장을 지키기 위한 시민 위원회를 만들었고 결코 경기장을 부수도록 놔두지 않을 겁니다. 주민들이 나를 시민 위원회의 회장으로 선출했고 지금 나는 체육 관련 부서에 갔다가 돌아올 겁니다. 우리는 경기장을 살리기 위해 모든 것을 할 것이고 필요하다면 굴착기 앞에 누울 것입니다."

나는 스타멘의 말을 들으면서 크고 마른 몸을 쳐다보았습니다.

두꺼운 안경 너머에서 그 선생님의 눈이 불타고 있다고 내게 느껴졌습니다.

이 과묵한 수학 선생님의 어디에 숲 전체를 태울 그런 불꽃이 있을까?

우리는 서로에게 작별 인사를 했고 나는 선생님에게 모든 성공을 기원했습니다

이제 나는 스타멘 선생님과 만남을 다시 기억하면서 경기장을 지키는 데 성공했으리라고 확신했습니다.

자주 과묵한 사람 안에는 우리가 짐작한 것보다 큰 야망과 힘이 있습니다.

나는 스타멘을 만나지 못했지만, 마을 끝에 있어 유럽으로 가는 고속도로가 지나는 경기장을 보러 가기로 마음먹었습니다.

거기에서 밭이 넓어졌고 드렌 강이 뱀처럼 구불구불하게 밭을 가르며 흐릅니다.

내가 여기서 가르쳤을 때, 봄과 여름에 강가에서 산책하는 것을 좋아했고, 버드나무 아래에서 자주 낚시를 했고, 느리게 흐르면서 할머니가 귀에 대고 무언가를 속삭이듯 살랑거리는 강물을 여러 시간 바라보았습니다.

멀리 남쪽으로 발칸 반도가 상승하여 마을 이름이 스톤인 것은 우연이 아닙니다. 왜냐하면, 모두 하얀 돌(스톤)로 집을 지었기 때문입니다.

아름답고 튼튼한 이층집이 있었습니다.

내가 여기서 가르쳤을 때 나는 젊었고 경기장에서 학생들과 공놀이를 했지만 이제 마을은 인적도 없고 사막처럼 황폐한 듯 보였습니다. 어떤 집은 몇 년 동안 아무도 살지 않았습니다.

그리고 거리는 어둠과 침묵에 빠졌습니다.

어느 사이에 경기장에 도착했습니다.

이미 저녁이 되었습니다.

나는 차에서 나왔습니다.

왜냐하면, 길을 잘못 든 것처럼 보였기 때문입니다. 고속도로는 보였지만 경기장은 그렇지 않았습니다.

주위를 둘러보면서 나는 조금씩 방향을 잡기 시작했습니다. 경기장은 전혀 없었습니다.

그 장소에는 호텔이 서 있고 가을 저녁에 네온 간판 '호텔 천국'이 보였습니다. 라틴 글자로 쓰여 있어 고속도로

저 멀리에서도 볼 수 있습니다.

이제 왜 여기 경기장 터에 호텔이 세워졌는지 이해했습니다.

실제로 매우 편리했습니다. 고속도로를 타고 지나가는 사람들은 즉시 그것을 알아차리고 멈추거나 쉬거나 호텔에서 밤을 보낼 수 있습니다.

호텔 근처에 커다란 지역이 넓게 퍼져있어 지금 그곳에는 외국 자동차 번호판을 단 여러 자동차와 트럭이 보였습니다.

나는 식당을 구경하러 들어가서 그 화려함에 정신이 혼미해졌습니다.

유럽을 모델로 하여 식당을 꾸며놓았습니다.

현대적이고 우아한 그것은 아름다움과 순수함으로 빛이 났습니다. 넓은 홀에는 부드러운 가락이 흘러나왔습니다. 손님은 많지 않았고 그들 사이에서 진하게 화장하고 탁자 여기저기 앉아있는 짧은 치마를 입은 젊은 여성들을 알아차렸습니다.

가장 순진한 방문자조차도 아가씨들이 주로 휴식을 취하고 즐겁게 지내려고 차를 세운 외국 운전자에게 특별 서비스를 위해 여기에 있는 것을 즉시 짐작할 것입니다.

명백하게 호텔 주인은 손님에게 완전한 편안함과 모범적인 배려를 보장했습니다.

나는 문으로 돌아갔지만, 근처 탁자에서 크리스마스트리처럼 장식한 젊은 남자가 일어났습니다. 목에는 금목걸

이가 무겁게 매달려 있고 오른쪽 손목에 금팔찌, 왼쪽에
는 값비싼 롤렉스 시계가 있습니다.

귀 중 하나에 귀걸이가 보였습니다.

"트라야노브 선생님, 안녕하십니까?"

젊은 사람은 나에게 인사했습니다.

놀라서 그 젊은이를 쳐다보고 오랫동안 보지 못했을지라
도 즉시 알아보았습니다.

"판코, 너야?" 나는 물었습니다.

"여기서 뭐 하는 거야, 30분 전에 네 이모를 봤어?"

"저는 호텔 주인입니다. 제발 대접하고 싶습니다. 선생님
은 오랫동안 스톤에 오시지 않았습니다."

"고마워, 판코 근데 서둘러야 해, 길을 잘못 들었어. 여
기에 무엇을 지었는지 보러 들어왔어."

"우리가 지었습니다. 선생님, 우리는 우리의 사랑하는 마
을 스톤을 현대화하고 있습니다."

나는 판코에게 작별 인사를 하고 떠났습니다. 나는 결코
판코가 현대적이고 고급스러운 호텔 "천국"의 소유자라
고 짐작하지 않았을 것입니다.

17. HOTELO "PARADIZO"

Estis malfrua aŭtuna posttagmezo. La ĉielo griza kiel lado, la arboj – nudaj, velkaj flavaj folioj disĵetitaj sur la tero kiel rustaj skvamoj. Pluvis, la vento siblis kvazaŭ ludis sur ŝtalaj kordoj. Mi revenis el urbo Pleven, mia vojo pasis tra vilaĝo Ŝton, kie antaŭ jaroj mi estis instruisto kaj mi ankoraŭ gardis belajn memorojn. Mi ne rapidis kaj mi decidis renkontiĝi kun malnovaj amikoj. En la centro de la vilaĝo estis la domo de mia eksa kolego instruisto Stamen, duetaĝa, flava kun vasta korto, kiu nun dronis en herbaĉo kaj arbustoj. La barilo de la korto kliniĝis flanke, la stukaĵo de la domo estis dispecetiga. Kelkajn minutojn mi staris antaŭ la ŝlosita korta pordo. Mi rigardis dekstren, maldekstren, la strato dezertis kaj neniun mi povis demandi ĉu Stamen estas ĉi tie aŭ ne. Jam mi ekiris al la aŭto por forveturi, kiam mi eksentis, ke de la najbara korto iu gvatas min. Mi turnis min kaj rimarkis du okulojn en breĉo de la barilo, kiuj brilis kiel fajreroj. La okuloj zorge atentis kion mi faros. Estis maljunulino, sed sufiĉe vigla, ĉar ŝia rigardo vagis tien reen kiel mustelo kaj ŝi okulfiksis ĉiun mian movon. Mi proksimiĝis al la barilo, salutis ŝin kaj demandis pri Stamen.

– Li ne estas ĉi tie – respondis la maljunulino, sed ne malfermis la pordon.

– Kie li estas?

Ŝi silentis, hezitis ĉu diri al mi aŭ ne, sed eble mi respektis ŝin, ŝi sentis, ke oni povas fidi al mi kaj iom pli afable ŝi klarigis:

– Vintre li ne loĝas ĉi tie. Vintre li estas ĉe sia filino en la urbo. Lia edzino forpasis kaj li venas ĉi tien nur somere.

Mi dankis ŝin kaj mi ekiris, sed la maljunulino haltigis min.

– Sinjoro instruisto, ĉu vi estas? Mi supozis, ke estas ŝtelisto aŭ rabisto, nur ili tiel detale observas la neloĝatajn domojn. Tamen mi ne povis tuj rekoni vin. Vidas mi konatan homon, sed mi ne memoras de kie mi konas vin. Ja, vi instruis nian Pankon. Li estis malbona lernanto, sed dank' al Dio, finis la bazan lernejon.

Nun mi rememoris, ke estis iu Panko, kiu ne sciis nek matematikon, nek literaturon kaj eĉ ne povis glate legi. Altstatura, forta kun vizaĝo ruĝa kiel pomo, li nur petolis kaj la koleginoj instruistinoj timigis lin per la lerneja direktoro.

– Mi estas onklino de Panko, avino Ceca mi estas – klarigis la maljunulino. – Venu, bonvolu.

Ŝi malfermis larĝe la pordon kaj invitis min en la korton.

– Sinjoro instruisto, kiom da jaroj vi ne venis ĉi tien?

– Multajn – respondis mi nebule.

La maljunulino insistis, ke mi eniru la domon, sed mi rezignis. Mi restis en la korto kaj ŝi malaperis en la domo. Postnelonge ŝi revenis kun saketo de freŝaj, maturaj pomoj.

– Bonvolu – diris ŝi. – Gustumu kaj memoru, kiam vi estis instruisto ĉi tie.

Mi adiaŭis avinon Ceca kaj foriris. Veturante mi pensis pri Stamen, mia amiko. Antaŭ du jaroj mi renkontis lin en Sofio.

– Kial vi estas en la ĉefurbo? – demandis tiam mi.

– Mi vagas de ministerio al ministerio, mi batalas.

Mire mi alrigardis lin. Li ne estis impertinenta

homo kaj la batalo ne karakterizis lin. Mi scivolis ekscii kun kiu li batalas kaj li rakontis al mi:

- Vi konas nian stadionon en la vilaĝo. Iam per granda peno ni konstruis ĝin. Ni mem faris la benkojn, vestejojn, banejojn. Ĉirkaŭ ĝi ni levis metalan barilon. Estas miranda stadiono kun mola verda herbo. Ni havas futbalan teamon kaj niaj knaboj bonege pilkludas. La stadiono estas komunuma havaĵo, de la tuta vilaĝo, sed nun iuj obskuraj nuntempaj riĉuloj deklaras, ke ili aĉetis ĝin kaj komencas ĝin detrui. Tial mi vagas de ministerio al ministerio por ekscii kiu vendis ĝin kaj kiu permesis ĝin detrui, sed vane. Oni sendas min de kabineto al kabineto kaj neniu povas respondi al miaj demandoj. Jam tutan monaton mi iras tien kaj reen, sed mi ne rezignos. Mi ekscios la veron. Ni, vilaĝanoj, fondis civitanan komitaton por protekti la stadionon kaj ni ne permesos, ke oni ĝin detruu. Oni elektis min prezidanto de la komitato kaj nun mi revenos el la Ministerio de la sporto. Ni faros ĉion por savi la stadionon kaj se necesos, ni kuŝos antaŭ la fosmaŝinoj.

Mi aŭskultis lin, rigardis lian altan sekan korpon kaj ŝajnis al mi, ke malantaŭ liaj dikaj okulvitroj, liaj okuloj flamas. De kie en tiu ĉi silentema instruisto pri matematiko ekestis tia fajro, kiu bruligos tutan arbaron. Ni adiaŭis unu la alian kaj mi deziris al li plenan sukceson.

Nun mi rememoris la renkontiĝon kun Stamen kaj mi estis certa, ke li sukcesis savi la stadionon. Ofte en la silentemaj homoj estas pli da ambicio kaj forto ol ni supozas. Mi ne trovis Stamen, sed mi decidis iri kaj vidi la stadionon, kiu troviĝis je la fino de la vilaĝo, kie pasis la ŝoseo al Eŭropo. De tie vastiĝis la kampo, tra kiu serpentumis rivero Dren. Kiam mi instruis ĉi tie, printempe kaj somere mi ŝatis promeni ĉe la rivero, mi fiŝkaptadis sub la salikoj kaj dum horoj mi senmova rigardis la akvon, kiu pigre fluis kaj susuris kvazaŭ maljunulino flustras ion sub sia nazo. Fore, sude, altiĝis Balkano kaj nehazarde la nomo de la vilaĝo estas Ŝton, ĉar oni konstruis la domojn el blankaj ŝtonoj. Estis belaj, fortaj duetaĝaj domoj.

Kiam mi instruis ĉi tie, mi estis juna, mi pilkludis kun la lernantoj en la stadiono, sed nun la vilaĝo aspektis senhoma kaj dezerta. En iuj domoj jam de jaroj neniu loĝis kaj la stratoj dronis en mallumo kaj silento.

Nesenteble mi atingis la stadionon. Jam vesperiĝis. Mi eliris el la aŭto, ĉar ŝajne mi eraris la vojon. La ŝoseo videblis, sed la stadiono – ne. Mi ĉirkaŭrigardis kaj iom post iom mi komencis orientiĝi. La stadiono vere mankis. Sur ĝia loko staris hotelo kaj en la aŭtuna vespero videblis neonluma ŝildo "Hotelo Paradizo". Skribita latinlitere oni vidis ĝin de malproksime, de la ŝoseo.

Nun mi komprenis kial oni konstruis ĉi tie hotelon sur la loko de la stadiono. Ja, estis ege oportune. La veturantoj, kiuj veturis sur la ŝoseo, povis tuj rimarki ĝin, halti kaj ripozi aŭ tranokti en la hotelo. Ĉe la hotelo vastiĝis granda areo, kie nun videblis pluraj aŭtoj kaj kamionoj kun fremdlandaj ŝildnumeroj.

Mi eniris vidi la restoracion kaj mi stuporiĝis de la lukso, kiu estis en ĝi. Oni aranĝis la restoracion laŭ eŭropa modelo. Moderna, eleganta ĝi brilis pro beleco kaj pureco. En la vasta salono aŭdiĝis tenera melodio. La gastoj ne estis multaj kaj inter ili mi rimarkis forte ŝminkitajn junulinojn kun mallongaj jupoj, kiuj sidis ie, tie ĉe la tabloj.

Eĉ la plej naiva vizitanto tuj divenos, ke la junulinoj estas ĉi tie por specialaj servoj, ĉefe por la fremdlandaj ŝoforoj, kiuj haltas por ripozi kaj iom distri sin. Evidente la posedanto de la hotelo certigis plenan komforton kaj modelan priservon de la gastoj.

Mi revenis al la pordo, sed de proksima tablo ekstaris junulo, ornamita kiel kristarbo. Sur lia kolo pendis peza ora koliero, sur lia dekstra manradiko estis ora braceleto kaj sur la maldekstra − multekosta horloĝo "Rolex". Sur unu el liaj oreloj videblis orelringo.

− Sinjoro Trajanov, bonan vesperon − salutis min la junulo.

Mi alrigardis lin surprizita, sed mi tuj rekonis lin, malgraŭ ke multajn jarojn mi ne vidis lin.

− Panko, ĉu vi estas? − demandis mi. − Kion vi faras ĉi tie, antaŭ duonhoro mi vidis vian onklinon?

− Mi estas la posedanto de la hotelo. Bonvolu, mi deziras vin regali. Delonge vi ne venis en Ŝton.

− Dankon, Panko, sed mi rapidas, mi eraris la vojon kaj mi eniris vidi kion oni konstruis ĉi tie.

− Ni konstruas, sinjoro instruisto, ni modernigas

nian karan vilaĝon Ŝton.

Mi adiaŭis Pankon kaj eliris. Neniam mi supozos, ke Panko estas la posedanto de la moderna, luksa hotelo "Paradizo".

라쇼, 빅토르, 스타브리스

처음에 나는 그 아이를 '다누보'와 '로자 발로' 거리의 모퉁이에서, 그리고 나중에는 탁자와 재떨이를 청소하는 카페 '리오'에서 보게 되었다. 나는 놀랐다. 지금까지 그렇게 어린아이가 온종일 카페에서 일하는 것을 보지 못했다.

일곱 살이나 여덟 살 먹은 어린이가 양배추를 닮은 검고 진한 머리카락에 설탕에 담겨 물기를 머금은 체리를 닮은 두 눈을 가졌다. 어린 남자아이의 작은 웃음이 강낭콩 낟알처럼 하얀 이를 내보이면서 얼굴에서 사라지지 않았다.

남자아이는 청바지를 입었는데 그게 몸 크기에 맞지 않아 바지 끝단이 접혀 있고 하얀 와이셔츠의 소매도 똑같이 접혀 있다. 이 아이는 집시를 닮지는 않았지만 부드러운 피부는 잘 익은 살구처럼 황금빛으로 빛났다.

아침에 '리오'에서 커피를 마시고 신문을 넘길 때 아이가 얼마나 진지하게 책임감 넘치게 일하고 있는지 놀라면서 살펴보았다. 방직기의 북처럼 이리저리 다니며 재떨이를 청소하고 부지런히 탁자를 닦고 결코 카페 오는 손님에게 인사를 잊는 법이 없었다. 구걸하지도 않고 사람을 귀찮게 않고 '리오'에서 행동거지가 신중하여 어린아이가 아니라면 확실히 누구도 알아차릴 수 없다. 단골 중 어느 사람이 자주 신문을 사러 심부름을 보내거나 커피잔을 탁자로 가져다 달라고 부탁했다. 왜냐하면, 카페는 스스로 해야 하기 때문이다. 나는 그 아이가 언제 나타났는지 이미 기억이 나지 않는다. 아마 두세 달 전 여름의 시작 무렵이다.

한번은 대략 27, 28살 먹은 카페 주인 요한에게 그 아이가 누군지 우연히 친척이거나 아는 사람인지 물었다. 즐겁고 농담을 좋아하는 청년 요한은 웃기 시작했다. 그것이 나를 혼란스럽게 해 아마 이상하다는 듯 쳐다보았다. 왜냐하면, 곧 요한이 말했기 때문이다.

"누군지 몰라요. 어느 날 아침 아이가 카페에 들어와서 나를 돕기 시작했어요."

요한이 농담하는 것처럼 보였다. 정말 요한은 농담을 잘 하는 사람이었다.

"어떻게?" 나는 이해하지 못했다.

"이렇게 아이가 와서 청소하고 탁자를 닦기 시작했어요."

"그러면 누구냐고 여기서 무엇을 하느냐고 묻지 않았나요?"

"왜요? 분명 내게 거짓말할 텐데요."

"그럼 종일 여기에 있나요?"

"물론입니다. 나는 아이에게 샌드위치와 과자를 줍니다."
"어디서 사나요?"
"이상 하시네요."
요한은 화가 나기 시작했다.
"그것이 나를 흥미롭게 하지 않아요. 나는 쫓아낼 것이
아니니까요, 그렇죠?"
"이름이 무엇인가요?"
"참 성가시게 하네요.
여기 아이가 있으니 물어보세요."
갑자기 요한이 말하며 내 뒤에서 기다리는 아가씨를 위
해 커피를 만들기 시작했다. 나는 내 커피잔을 들고 옆
탁자에 앉았지만, 요한과 대화가 계속해서 나를 자극하
며 내 생각을 드릴처럼 뚫고 들어왔다.
길가에서 나는 자주 구걸하는 집시의 자녀들을 보았다.
더러운 넝마 옷을 입고 주둥이 앞에는 아교를 붙인 나일
론 작은 주머니를 가지고 다녔다.
그러나 카페에 있는 그런 아이를 나는 처음 봤다. '리오'
의 어린이는 아주 깨끗해 보였고 옷차림은 크기가 컸을
지라도 넝마는 아니었다.
자주 호기심이 매처럼 나를 사로잡아 다른 무엇을 생각
하도록 허락하지 않았다. 그래서 나도 아이가 누구인지
어떤지 그렇게 흥미를 갖지 않고 다만 손으로 부르니 곧
나의 탁자로 달려왔다.
아이가 꽁초가 든 재떨이를 들려고 움직일 때 멈춰 세웠

다.

"이름이 무엇이니?" 내가 물었다.

자기 이름을 잘 기억하지 못한 것처럼 생각에 잠겼다.

뒤에 작은 여우처럼 교활하게 웃으며 대답했다.

"여러 이름을 가지고 있어요."

"어떻게?" 나는 이해하지 못했다.

"정말로 제가 있는 곳마다 사람들이 저를 다양하게 불러요. 라쇼, 빅토르, 안겔"

"그래, 어디에 있었는데?"

"처음에 비딘이라는 도시에서 살았어요. 나중에 그리스, 데살로니가, 나중에 바르나 그리고 지금은 여기에요."

모든 말이 있고 나서 나의 놀람이 자라나 아이에게 묻는 것은 이미 의미가 없다는, 요한의 말을 이제 믿게 되었다. 왜냐하면, 아마 아이의 상상력은 끝이 없고 내게 무수히 놀랄만한 생각들을 이야기할 수 있기 때문이다.

"어떻게, 왜 그리스에 있었니?"

내가 의심스럽게 아이를 쳐다보았다.

"사람들이 절 거기로 팔았어요."

"누가 너를 팔았니?"

나는 누가 나를 검은 땅굴 속으로 갑자기 밀어 넣는 것처럼 그렇게 놀라고 당황했다.

"어떤 사람들이 저를 팔았지만 이미 그 사람들을 기억하지 못해요."

"어떻게 여기로 왔니?"

"다른 사람들, 나를 사서 바르나로 데리고 가는 외국 사람들과 함께. 하지만 저는 도망치기에 성공했어요."
"도망쳤다고?"
"그것이 제겐 어려운 일이 아니에요.
이미 익숙하거든요."
나는 아이를 쳐다보며 그것이 가능한지 아니면 거짓말하는 것인지 사막의 모래 속에 잠기는 기분이 들었다.
"어디서 사니?"
"저기, 가까이"
"어디?"
조용해지더니 더 말하지 않았다.
'무엇을 먹니?"
요한 삼촌이 샌드위치, 과자, 먹을 빵을 주세요."
"누가 이 청바지를 주었니?"
"요한 삼촌이" 나는 외계인처럼 아이를 살폈다.
"내가 누구라고 부를까?"
"원하시는 대로요. 스타브리스라고 부르실 수 있어요.
데살로니가에서 사람들이 저를 스타브리스라고 불렀거든요."
내 질문에 지겨웠는지 '안녕히 계세요'라고 말하며 손을 들어 인사하고 얼마 전에 서서 커피를 주문하고 다 마신 후 두고 떠난 아가씨의 빈 잔을 가지러 옆 탁자로 달려 갔다.
2주 뒤 아이는 사라졌다.

나는 요한에게 물었다.

"스타브리스는 어디 갔나요?"

요한은 입을 벌리냐 나를 바라보았다.

"어떤 스타브리스요?"

"여기 있었던 어린아이."

"여기에는 어떤 어린아이도 없었어요."

"좋아요. 그때 라쇼, 안겔, 빅토르."

요한은 작게 웃었다.

"누구에 대해 말하는지 이해할 수 없어요."

나는 화가 났다. 매일 아침 나는 카페에서 계속 커피를 마신다. 여기는 조용하고 편안해서 마음에 든다.

나는 고정 손님을 알고 우리는 서로 친절하게 인사한다. 카페 벽에는 자주 그림이 걸린다. 화가에는 흥미가 없다. 그래서 지금 그리스의 풍경, 항구, 바다, 배, 해를 그린 한 개 그림이 매우 매력적이다.

그러나 '리오'의 매력 중 무언가가 사라졌다.

가끔 나는 여기에 체리처럼 검은 눈을 가진 어린아이가 있었는지 아니면 내가 꿈을 꿨는지 궁금하다.

18. RAŜO, VIKTOR, STAVRIS

Unue mi rimarkis lin ĉe la angulo de la stratoj "Danubo" kaj "Roza Valo", kaj poste en kafejo "Rio", kie li purigis la tablojn kaj cindrujojn. Mi miris. Ĝis nun mi ne vidis tiel etan knabon pasigi tutan tagon en kafejo. Sep aŭ okjara li havis nigran densan haron, similan al brasiko kaj okulojn kiel du humidajn ĉerizojn, mergitajn en konfitaĵo. Lia knaba rideto ne malaperis de la vizaĝo, montrante blankajn dentojn kiel fazeolgrajnoj. La knabo surhavis ĝinzojn, ne laŭ siaj mezuroj, kun volvitaj pantalonrandoj kaj la manikoj de lia blanka ĉemizo estis same volvitaj. Ĉi bubo ne similis al cigano, lia glata haŭto brilis orkolore kiel matura abrikoto.

Matene, kiam mi trinkis kafon en "Rio" kaj trafoliumis ĵurnalon, mi observis lin, mirinte kiel serioze kaj respondece li plenumas sian laboron. Li vagis tien-reen kiel naveto, purigis la cindrujojn, diligente viŝis la tablojn kaj neniam forgesis saluti la vizitantojn en la kafejo. Li ne almozis, ne ĝenis la homojn kaj lia ĉeesto en "Rio" estis tiel diskreta, ke se li ne estis infano, certe neniu lin rimarkus.

Iuj el la konstantaj vizitantoj ofte sendis lin aĉeti ĵurnalojn, aŭ petis lin alporti la tasojn da kafo al la tabloj, ĉar en la kafejo estis memserve. Mi jam ne memoras, kiam li aperis en "Rio", eble estis antaŭ du aŭ tri monatoj, en la komenco de la somero.

Foje mi demandis la posedanton de la kafejo – Johanon – junulo, ĉirkaŭ dudeksep – dudekokjara, kiu estas la knabo kaj ĉu hazarde li ne estas parenco aŭ konato de Johano. Johano, gaja kaj ŝercema junulo, komencis ridi. Tio konfuzis min kaj eble mi alrigardis lin strange, ĉar postnelonge Johano diris:

– Mi ne scias kiu li estas. Iun matenon la bubo eniris la kafejon kaj komencis helpi min.

Ŝajnis al mi, ke Johano ŝercis, ja li estis vera ŝercemulo.

– Kiel? – ne komprenis mi.

– Tiel, li venis kaj komencis purigi kaj viŝi la

tablojn.

- Kaj vi ne demandis lin kiu li estas, kion li faras ĉi tie?

- Kial? Li certe mensogos al mi.

- Kaj ĉu tutan tagon la bubo estas ĉi tie?

- Kompreneble, mi donas al li sandviĉojn, dolĉaĵojn···

- Kie li loĝas?

- Vi estas stranga persono - komencis incitiĝi Johano. - Tio tute ne interesas min. Ja, mi ne pelos lin, ĉu ne.

- Kiel li nomiĝas?

- Vi estas teda persono. Jen li, demandu lin - diris abrupte Johano kaj komencis fari kafon al fraŭlino, kiu atendis post mi.

Mi prenis mian tason da kafo, sidiĝis ĉe flanka tablo, sed la konversacio kun Johano daŭre gratis min kaj boris mian menson kiel truilo. Surstrate mi ofte vidis ciganidojn, kiuj almozis. Malpuraj, vestitaj en ĉifonoj, ili tenis nilonsaketojn kun gluo antaŭ siaj buŝoj, sed tian knabon, kiel en la kafejo, mi vidas unuan fojon. La bubo en "Rio" aspektis sufiĉe pura kaj liaj vestoj, malgraŭ grandmezuraj, ne estis ĉifonitaj.

Ofte la scivolo kaptas nin kiel rabobirdo kaj ĝi ne permesas al ni mediti pri io alia. Do, ankaŭ min ne tre interesis, kiu kaj kia estas la bubo, tamen mi vokis lin mane kaj tuj li kuris al mia tablo. La knabo gestis preni la cindrujon kun stumpoj, sed mi haltigis lin.

- Kiel vi nomiĝas? - demandis mi.

Li enpensiĝis, kvazaŭ ne memoras bone sian nomon. Poste ruze li ekridetis kiel vulpeto kaj respondis:

- Mi havas plurajn nomojn.

- Kiel? - ne komprenis mi.

- Ja, en ĉiuj lokoj, kie mi estis, oni nomis min diverse: Raŝo, Viktor, Angel···

- Ho, kie vi estis?

- Unue mi loĝis en urbo Vidin, poste en Greklando, en Tesaloniko, poste en Varna kaj nun ĉi tie.

Post ĉiu lia vorto mia miro kreskis kaj mi jam kredis al Johano, ke tute ne estas senco demandi la bubon, ĉar eble lia fantazio estas senfina kaj li povus rakonti al mi aron da mirindaj elpensaĵoj.

- Kiel kaj kial vi estis en Greklando? - mi alrigardis lin suspekte.

- Tiel. Oni vendis min tie.
- Kiu vendis vin? – mi tiel miris kaj surpriziĝis, kvazaŭ iu puŝis min subite en nigran terkavon.
- Iuj homoj min vendis, sed mi jam ne memoras ilin.
- Kiel vi venis ĉi tien?
- Kun aliaj homoj, fremdlandanoj, kiuj min aĉetis kaj veturigis min al Varna. Tamen mi sukcesis forkuri.
- Vi forkuris?
- Por mi tio ne estas malfacile. Mi jam alkutimiĝis.

Mi rigardis lin kaj mi havis la senton, ke mi dronas en dezerta sablo. Ĉu tio eblas aŭ li mensogas.
- Kie vi loĝas?
- Tie, proksime···
- Kie?

Li eksilentis kaj nenion plu diris.
- Kion vi manĝas?
- Oĉjo Johano donas al mi sandviĉojn, dolĉaĵojn, kukbulketojn···
- Kaj kiu donis al vi tiun ĉi ĝinzojn?
- Kiu, oĉjo Johano.

Mi observis lin kiel eksterterulon.

- Kiel mi nomu vin?

- Kiel vi deziras. Vi povas nomi min Stavris. En Tesaloniko oni nomis min Stavris.

Miaj demandoj tedis lin, ĉar li svingis mane, diris "ĝis" kaj kuris al najbara tablo por preni la malplenan tason, forlasitan de la fraŭlino, kiu antaŭnelonge staris kaj foriris.

Post du semajnoj la knabo malaperis. Mi demandis Johanon:

- Kie estas Stavris?

Johano gapis al mi.

- Kiu Stavris?

- La bubo, kiu estis ĉi tie.

- Nenia bubo estis ĉi tie.

- Bone, tiam Raŝo, Angel, Viktor⋯

Johano ekridetis:

- Mi ne komprenas pri kiu vi parolas.

Mi koleris.

Ĉiun matenon mi daŭre trinkas kafon en "Rio". Plaĉas al mi ĉi tie, estas silento kaj trankvilo. Mi konas la konstantajn vizitantojn kaj ni afable salutas unu la alian. Sur la muroj de la kafejo ofte pendas pentraĵoj. Mi ne interesiĝas pri la pentristoj. Nun tamen unu pentraĵo estas tre alloga, ĝi prezentas pejzaĝon el Greklando, havenon, maron, ŝipojn, sunan pejzaĝon. Tamen io el la ĉarmo de "Rio" malaperis. Foje-foje mi demandas min, ĉu ne estis ĉi tie knabo kun okuloj, nigraj kiel ĉerizoj, aŭ mi songis lin?

도둑 캠프

도둑을 위한 캠프가 내게 우연은 아니었다.

사람들은 오래전부터 나를 안다.

나는 어릴 때부터 훔쳤다.

이미 초등학교 때 나의 이 열정도 불꽃처럼 빛이나, 학교 가방은 항상 다른 사람들의 펜, 색연필, 필통으로 가득했다.

부모님은 정직한 사람이라 무엇을 해야 할지 몰랐다.

동급생의 할아버지 할머니가 손자들의 펜이나 비싼 공책이 없어졌다고 쉴 새 없이 불평하러 집으로 왔다.

뭔가가 없어지면 사람들은 내게서 모든 것을 찾게 되었고 아무도 단순히 잃어버렸다고 짐작조차 하지 않았다.

불쌍한 엄마는 고통과 성가심 때문에 병들어 누웠다.

엄마는 시들어 벼락 맞은 나무 같았다.

예전에는 엄마도 예쁘고 매력이 넘쳤다.

내가 1학년 때 예쁜 엄마를 아주 많이 자랑스러워했다.

아버지는 할 수 있는 한 최선을 다해 나를 교화시키려고 애썼다.

아버지는 낮에 몇 번이나, 북을 치듯 나를 때렸지만, 효

과가 없었다.

나는 계속해서 훔쳤고, 아무도 내가 가는 그 길에서 나를 벗어나도록 할 수 없었다.

'내가 무엇을 해야 하나'하고 아빠는 한숨을 쉬었다.

'내가 아들이 손을 잘라 평생 쓸모없는 사람이 되도록 할 것인가 아니면 아들을 죽여야 하나?'

엄마는 계속해서 나를 의사나 심리치료사에게 보냈지만 헛된 일이었다.

나는 조용하고 회중시계를 닮은 작은 남자아이처럼 보였다. 의사와 교육자는 주로 젊고 동정심 많은 여자였는데 나를 보고 놀라며, 이 귀엽게 잘 차려입은 아이가 실력 있는 도둑이라고 믿지 못했다.

그들은 나를 돕기 위해 가능한 모든 것을 다 했다.

여러 시간 나랑 이야기하면서 내가 누구인지 무엇을 좋아하는지 묻고 말도 안 되는 부분을 많이 끄집어냈다.

그러나 나는 무엇을 훔치기는커녕 나쁜 단어조차도 말할 수 없는 어린 양처럼 조용하게 그들을 바라보았다.

치료하는 동안 나는 매우 지루했다.

해가 커다란 오렌지처럼 매달린 누런 사막에 있는 것처럼 앉아있다.

조금 기분전환을 위해 의사나 교육자의 지갑이나 다른 무언가를 훔쳤다.

그들은 물건이 없어진 순간조차 느끼지 못할 정도였다. 몇 초면 내가 원하는 모든 것을 훔칠 수 있다.

날이 갈수록 실력이 더욱 완벽해짐을 확신하기 때문에 매우 자랑스러웠다. 오직 엄마만 모르게 할 수 없었다. 엄마와 함께 있을 때, 엄마는 로켓 비행장 발사대 위에 선 군인처럼 긴장해 있으며 눈은 잠시라도 움직이지 않았다. 이런 지속적인 관심 때문에 엄마의 눈길은 총검처럼 날카로웠다.

얼굴 근육은 인디언의 당겨진 화살처럼 팽팽했다. 입술을 지그시 눌러 입언저리에는 두 개의 딱딱한 느낌표가 만들어졌다. 계속해서 나를 감시하는 매의 눈초리를 했음에도 치료자의 지갑이 언제 없어지고, 있던 곳에서 언제 내 주머니로 옮겨졌는지 볼 수 없었다.

그것은 정말 극히 소수의 사람만이 할 수 있는 예술이었고 나는 그런 사람들 가운데 하나였다.

그러나 엄마는 나의 본색을 드러낼, 해볼 만하고 실수가 없는 방법을 가지고 있었다. 치료가 끝났을 때 매우 친절하게 의사나 교육자 앞에서 나에게 일어나서 손을 들라고 시켰다. 그리고 신발에서 머리까지 노련한 경찰관처럼 나를 훑어보기 시작했다. 얼마 뒤 엄마는 내 소매 또는 바지 가장자리에서 그들의 지갑을 꺼냈다.

엄마는 승리하여 깃발을 흔드는 군인처럼 나를 쳐다보았다. 불쌍한 의사는 놀라서 소리치고 곧 혼수상태에 빠졌다. 자신의 지갑이 엄마의 손에 있는 것을 믿을 수 없었다. 여의사는 열심히 자신의 주머니를 만지고 손을 집어넣고 땀 흘리며 안절부절하다가 마침내 조금 전에 엄마가 내 바지 가장자리에서 꺼낸 지갑이 자기 것임을 확인했다.

의사는 무료 구경거리 보듯 바라보았다.

웃고 놀라며 나를 칭찬하고 내 머리를 쓰다듬으며 훔치려고 하는 무서운 열정을 치료하기 위해 여기 함께 있다는 사실을 잊은 듯했다.

우리는 자비롭고 조용하고 얼음처럼 흰 머리카락에 오래된 금빛의 눈을 가진 나이든 유명 교수를 만났는데 매우 오랫동안 나를 상담하고 말을 하고 설득하여 거의 잠들 지경이 되도록 계속했다.

나는 이미 지루해서 어디를 바라보아야 할지 알지 못하고 무엇을 생각할지 모를 정도였다.

나는 참을 수 없고 손가락은 마치 식초에 손을 담근 것처럼 근질거렸다.

교수실 입구에서 엄마는 무엇이든 훔칠 생각조차 하지 말라고 매우 엄하게 경고했다.

나는 좋은 교수님에게 아무것도 훔치지 않겠다고 약속했지만 30분간의 강의가 지나자 참을 수 없어서 약속을 지키지 못했다.

교수의 커다란 지갑은 그의 웃옷 주머니에서 내 스웨터 밑으로 매우 느리게 기품있게 옮겨졌고, 지갑이 꽤 두껍고 무거웠기 때문에 약간 부풀어 올랐다.

아마 교수는 방금 월급을 받은 듯 했다.

과정이 끝나자 매우 만족하여 마치 나이든 남자에게 하

듯 내 손을 꽉 쥐고 엄마에게 결코 훔치지 않을 거라고 단언했다.

그리고 이런 치료에서 큰 성공을 거둬 외국의 동료들을 돕기 위해 해외에 자주 초대받는다고 덧붙였다.

엄마는 입술이 물음표처럼 변형되어 회의적인 웃음을 띠며 감사했지만 떠나기 전에 주의해서 자세히 나를 살피리라 마음먹었다.

확실히 교수의 능력을 믿지 않았다. 교수는 친절하고 관대하게 웃으며 우리 앞에서 일어섰다.

엄마는 재빨리 내 스웨터 아래서 교수의 두꺼운 지갑을 찾아내 그것을 끄집어내자 교수는 돌처럼 굳었다.

사랑스러운 작은 웃음이 겁에 질린 올빼미처럼 멀리 날아가고 눈은 총알처럼 빛났다.

얼마 뒤 엄마의 손에 있는 지갑을 슬그머니 보더니 나중에 매처럼 잡아채고 울부짖기 시작했다.

교수는 소리치지 않았지만 마치 누가 거짓으로 휘파람 불 듯 날카로운 목소리를 크게 냈다.

헐떡이며 엄마와 내가 도와 달라고 온 것이 아니라 도둑질하기 위해 온 범죄자라고 되풀이했다.

경찰을 곧 부르겠다고 협박했다. 왜냐하면, 범죄자는 치료해야 하는 것이 아니라 감옥에 보내야 하기 때문이다.

교수는 세게 더 세게 소리 질렀다.

이미 불타는 난로처럼 빨갛게 되어 도끼에 찍힌 나무처럼 언제라도 땅 위로 넘어질 수 있다.

사랑스럽고 조용한 노교수에게는 아무것도 남지 않았다. 지금 우리 앞에는 날카로운 뿔로 우리를 당장이라도 잔인하게 찌르려는 분노에 찬 숫염소가 서 있다.

나의 불쌍한 엄마는 이미 말할 수도 움직일 수도 없이 두려움에 떨며 그를 바라보고 있어 나는 엄마에게 미안함을 느꼈다. 엄마는 아무것도 설명할 수 없고 교수는 소리쳐 엄마가 입을 열도록 허락하지 않았다.

나는 화난 교수의 방에서 어떻게 나왔는지 알지 못하지만 이날 이후로 엄마는 나를 과정으로 안내하는 것을 잊었고 내가 원하는 것을 하도록 내버려 두었다.

물론 나는 훔치기를 계속했다. 경찰서에서 나를 불렀지만, 아직 미성년자라 재판에 넘기지는 못했다.

경찰관은 오직 몇 년 뒤에는 재판에 넘겨지고 감옥에 보낼 것이라고 경고하고 협박했다.

나는 전혀 기대하지 않게 '데르벤'마을에서 열린 도둑을 위한 캠프에 참가했다. 버려진 산장에서 개최된 비밀 캠프로 미성년자 도둑들, 남자아이와 여자아이, 집시 중 일부를 단체별로 모았다.

우리의 평범하지 않은 능력에 대해 잘 아는 사람 누군가가 우리를 모았는지 모른다.

나는 학교 캠프에 간다고 부모님을 속였고 부모님은 곧바로 허락했다. 내가 없는 동안 그들은 불쾌한 놀람에서 조금 쉴 것이라고 아마 생각했을 것이다.

아빠는 내게 돈을 주시면서 캠프에서 훔치지 말라고 엄

중하게 경고했다.

불쌍한 아빠는 내가 훔치는 기술을 정확하고 완벽하게 연습하기 위해 가는 것을 짐작조차 하지 못했다.

두 명의 매우 경험 많은 도둑이 우리를 가르쳤다.

그들은 아주 많은 기술을 알고 있지만 내가 그들보다 더 잘한다고 느꼈음을 고백해야만 한다. 이 캠프에서 모든 기술을 오랫동안 참을성 있게 배워야 한다고 깨달았다. "얼마나 재능있는지 자연이 재능을 얼마큼 주었는지와 상관없이 너희들은 많은 경험과 기술을 완벽하게 할 필요가 있다." 두 명의 나이든 도둑은 우리가 완벽하기를 원하고 나중에 우리는 그들을 위해 또는 어떤 비밀 도둑 조직을 위해 일해야만 한다.

모든 캠프처럼 여기에서도 마찬가지로 엄격한 질서와 규율이 있다. 오전에는 강사 중 한 명 즉 도둑이 이름한 것처럼 강의와 훈련이 있다.

오후에는 소풍을 가서 공을 차고 저녁에는 홀에서 춤을 즐긴다.

도둑보다는 배우 같은 대략 서른 살의 강사가 나에게 아주 만족하며 계속해서 나를 노련한 도둑의 예로 지목했다.

그러나 캠프에서 나보다 나이 어린 게마라는 여자아이를 사귀었다. 그 아이가 몇 살인지는 잘 모른다. 왜냐하면, 게마는 학교에 다니지 않았고 정확히 언제 태어났는지도 모른다. 어떤 때는 14살이라고 말하고 어떤 때는 15살이라고 말했다. 그때까지 나는 그렇게 예쁜 여자아이를 꿈에서도 보지 못했다.

비단 천처럼 부드러운 갈색 얼굴에 항상 놀리듯이 웃는 아몬드 모양의 눈을 가졌다.

팔은 가늘고 가벼워 흰갈매기 날개를 닮았고 몸은 송어처럼 탄력이 넘쳤다. 게마랑 어떻게 친구가 되었는지 잘 모른다. 다른 모든 아이들처럼 지냈지만, 게마는 아침부터 저녁까지 항상 내 옆에 섰다.

나는 게마가 매우 재능있는 도둑이고 나보다 더 타고난 재능이 있다고 말할 정도였음을 솔직히 고백한다.

자주 우리가 함께 있을 때 게마는 뜬금없이 몇 시냐고 물었다.

그때야 나는 내 시계가 이미 오래전에 게마와 함께 있음을 알아차렸다. 게마는 웃기 시작했고 하얀 이빨은 쌀처럼 빛났으며 웃음소리는 폭포처럼 쏟아져 나왔다. 자랑하듯 내게 시계를 돌려주었다.

게마가 나한테 무언가를 훔쳤다고 느꼈지만 게마를 기쁘게 하려고 아무것도 모르는 척하는 순간도 있었다.

나는 게마를 사랑하게 되었고 전에는 상상조차 못 한 다른 세계를 만났다.

게마의 키스는 100년 된 포도주처럼 나를 취하게 하고 게마의 따뜻한 손바닥이 나를 녹였다.

이제 게마가 없이는 숨 쉴 수도, 볼 수도, 들을 수도 없다고 믿었고 이상한 무언가가 내게 일어나기 시작했다.

어느 사이에 나의 훔치려는 능력과 열정이 사라졌다.

배우를 닮은 강사는 내게 화내기 시작하더니 처음처럼 나를 칭찬하는 대신 자주 더욱 자주 꾸짖었다.

나는 노력하고 땀을 흘렸지만 소용없었다.

여러 가지 물건이 남의 주머니에서 내 주머니로 옮기는 편리성과 신통력이 완전히 사라졌다.

내게 무슨 일이 일어났는지 나는 모른다.

완벽성을 갖는 대신 나는 오히려 굳어갔다.

나는 나 자신에게 화가 나기 시작했다.

내가 가진 능력이 부족한가?

오직 게마만이 나를 이해했고, 숲의 딸기처럼 잘 익고 달콤한 키스로 나를 안정시켜 줬다.

나는 사랑 때문에 거의 미치듯 했고 다른 어떤 것도 더 내게 재미없었다.

자주 저녁에 우리는 어느 수풀 속에서 끝없이 반짝이는 별이 있는 깊은 하늘을 쳐다보면서 누워 있었다.

게마는 나를 끌어당겼고 기적같이 내 속에 있는 다른 커다란 재능 즉 사랑의 문을 연 것처럼 느껴졌다.

나의 훔치는 능력은 영원히 사라졌다.

하나의 열정이 다른 것을 대체한다.

그리고 지금 많은 세월이 지나도 계속해서 게마를 꿈꾼다. 나는 훔치지 않는다. 이미 훔치는 것은 예전에 누군가의 지갑이 알아차리지 못하게 내 주머니로 들어올 때처럼 그런 즐거움의 이유가 되지 못한다.

19. TENDARO POR ŜTELISTOJ

En la tendaro por ŝtelistoj mi ne estis hazarde. Delonge oni konis min. Mi ŝtelis de infanaĝo. Jam en la elementa lernejo, tiu ĉi mia pasio ekbrulis kiel fajro kaj mia lerneja teko ĉiam estis plena de alies skribiloj, krajonoj, skatoloj··· Miaj gepatroj, honestaj homoj, ne sciis kion fari. Hejmen senĉese venis avoj kaj avinoj de miaj samklasanoj por plendi, ke multe kostaj skribiloj kaj kajeroj de iliaj nepoj malaperis. Okazis tiel, ke ĉion, kio malaperis, oni serĉis ĉe mi kaj jam neniu eĉ supozis, ke iu aĵo povus simple perdiĝi. Mia povra patrino malsaniĝis pro turmento kaj ĝeno. Ŝi velkis kaj eksimilis al arbo, trafita de fulmo, kaj iam ŝi estis bela kaj alloga. Kiam mi frekventis la unuan klason, mi tre fieris pri mia bela panjo. Mia patro provis min edifpuni tiel kiel li sciis. Li batis min kiel tamburon kelkfoje tage, sed rezulto ne estis. Mi daŭre ŝtelis kaj nenio povis deflankigi min de la vojo, laŭ kiu mi iris.

- Kion mi faru? - ĝemis paĉjo. - Ĉu mi tranĉu liajn manojn kaj li iĝu invalido por la tuta vivo, aŭ mi mortigu lin?

Panjo konstante kondukis min al kuracistoj kaj psikoterapeŭtoj, sed vane. Mi aspektis kvieta, eta knabo simila al poŝhorloĝo kaj kiam la kuracistoj kaj pedagogoj, ĉefe junaj, simpatiaj virinoj, vidis min, ili miris kaj ne povis kredi, ke tiu ĉi kara, bone vestita bubo ŝtelas kiel sperta ŝtelisto. Ili faris ĉion eblan por helpi min. Dum horoj ili konversaciis kun mi, demandis kiu mi estas, kion mi ŝatas, ili elpensis diversajn stultaĵojn, sed mi rigardis ilin kviete kiel ŝafido, kiu eĉ malbonan vorton ne povas diri, des pli ŝteli ion.

Dum la seancoj mi tre enuis. Mi sidis kvazaŭ en flava dezerto, super kiu la suno pendas kiel grandega oranĝo kaj por iom distri min, mi ŝtelis aŭ monujon aŭ ion alian de la kuracistinoj aŭ pedagoginoj. Ili eĉ ne povis eksenti la momenton, kiam iliaj aĵoj malaperis. Dum sekundoj mi povis ŝteli ĉion, kion mi deziras. Mi estis ege fiera, ĉar mi konstatis, ke tagon post tago mi iĝis pli kaj pli perfekta. Nur panjon mi ne povis dormigi. Kiam ni estis kune ŝi staris streĉita kiel soldato sur posteno ĉe raketa dromo kaj ŝiaj okuloj eĉ por sekundo ne moviĝis. Pro tiu ĉi konstanta atento ŝia rigardo iĝis akra kiel bajoneto kaj la muskoloj de ŝia vizaĝo estis kiel streĉita indiana pafarko. Ŝi tiel premis lipojn, ke en ties anguloj formiĝis du severaj krisignoj. Konstante ŝi spionis min, sed malgraŭ ŝia agla rigardo, ŝi ne povis vidi kiam malaperis la monujo de la kuracistino kaj kiam ĝi transiris de ŝia al mia poŝo. Tio estis arto, kiu eble tre malmutaj homoj regis kaj mi estis unu el ili. Tamen mia patrino havis sian provitan kaj seneraran metodon senvualigi min. Kiam finiĝis la seanco, ŝi tre afable petis min ekstari, levi brakojn kaj antaŭ la okuloj de la kuracistino aŭ pedagogino ŝi komencis traserĉi min de la ŝuoj ĝis la kapo kiel sperta policano. Post sekundoj ŝi elprenis el mia maniko aŭ pantalonrando la monujon de la kuracistino. Panjo alrigardis min venke kiel soldato, kiu flirtas standardon. La povra kuracistino mirkriis kaj tuj stuporiĝis. Ŝi ne povis kredi, ke ŝia monujo estas en la mano de panjo. La kuracistino komencis febre kontroli en siaj poŝoj, fosserĉis, ŝvitis maltrankvila kaj fin-fine konvinkiĝis, ke panjo tenas ĝuste ŝian monujon, kiun antaŭnelonge ŝi elprenis el mia pantalonrando.

Estis kuracistinoj, kiuj rigardis tion kiel senpagan spektaklon. Ili ridis, miris, admiris min, karesis mian kapon kaj verŝajne ili forgesis, ke mi estas ĉe ili por kuraci min de mia terura pasio ŝteli. Foje tamen panjo serioze suferis. Ni estis ĉe fama profesoro, simpatia, kvieta oldulo kun blankaj kiel glacio haroj kaj okuloj kun koloro de malnova oro. Li tre longe pridemandis min, parolis al mi, konsilis min ĝis kiam li sukcesis preskaŭ dormigi min. Mi jam tiel enuis, ke mi ne sciis kien rigardi kaj pri kio mediti. Mi ne eltenis, miaj fingroj jukis, kvazaŭ mi trempis ilin en vinagro.

Antaŭ la eniro en la ĉambron de la profesoro, panjo tre severe avertis min, ke mi eĉ ne pensu ŝteli ion. Mi promesis, ke nenion mi ŝtelos de la bona profesoro, sed post duonhora lekcio mi ne eltenis kaj ne plenumis la promeson. La granda monujo de la profesoro tre lante kaj elegante transiris de lia jakpoŝo sub mian puloveron kaj eĉ iom pufigis ĝin, ĉar la monujo estis sufiĉe dika kaj peza. Eble la profesoro ĵus ricevis sian profesoran salajron.

Kiam la seanco finiĝis la profesoro tre kontenta premis mian manon kiel al aĝa viro kaj certigis panjon, ke neniam plu mi ŝtelos. Li aldonis, ke havas grandajn sukcesojn en tiu ĉi kuracado kaj ofte oni invitas lin eksterlande por helpi siajn eksterlandajn gekolegojn. Panjo dankis al li kun skeptika rideto, pro kiu ŝiaj lipoj deformiĝis kiel demandsignoj, sed ŝi decidis antaŭ nia foriro, atente kaj detale traserĉi min. Certe ŝi ne kredis al profesoraj kapabloj. La profesoro staris antaŭ ni ridanta kare kaj indulgeme. Panjo rapide trovis sub mia pulovero la dikan profesoran monujon, elprenis ĝin kaj la profesoro ŝtoniĝis. Lia kara rideto forflugis kiel timigita strigo kaj liaj okuloj ekbrilis kiel kugloj. Kelkajn sekundojn li strabis sian monujon en la mano de panjo, poste li kaptis ĝin kiel akcipitro kaj komencis krii. La profesoro ne kriis, sed kriegis per akrasona voĉo kvazaŭ iu false fajfis. Anhele spiranta, li ripetis, ke panjo kaj mi estas krimuloj, kiuj venis al li ne por helpo, sed prirabi lin. Li minacis tuj voki policon, ĉar oni ne devas kuraci krimulojn, sed sendi ilin en la malliberejon. La profesoro kriegis pli forte kaj pli forte. Li jam estis ruĝa kiel brulanta forno kaj ĉiumomente povis fali surteren kiel forhakita arbo. De la kara, kvieta oldulo restis nenio. Nun antaŭ ni staris furiozanta virkapro, kiu tuj kruele pikos nin per siaj akraj kornoj. Mia povra panjo jam ne povis nek paroli, nek moviĝi, ŝi rigardis lin tiel timigita, ke mi kompatis ŝin. Nenion ŝi kapablis klarigi, la profesoro kriis kaj ne lasis ŝin malfermi buŝon. Mi ne komprenis kiel ni eliris el la ĉambro de la kolerigita profesoro, sed post tiu ĉi tago, panjo forgesis konduki min al seancoj kaj lasis min fari, kion mi deziras. Kompreneble mi daŭrigis ŝteli. Oni vokis min en policejojn, sed mi ankoraŭ ne estis plenaĝa kaj oni ne povis kondamni min. La policanoj nur avertis kaj minacis min, ke post kelkaj jaroj oni kondamnos kaj malliberigos min.

Kaj tute neatendite mi trafis la tendaron por ŝtelistoj en vilaĝo Derven. Estis sekreta tendaro, okazinta en forlasita montodomo, en kiu oni kolektis grupon de neplenaĝaj ŝtelistoj, knaboj, knabinoj, iuj el ili ciganidoj. Mi ne sciis kiu kolektis nin, kiu estis tiel bone informita pri niaj neordinaraj kapabloj. Mi mensogis al miaj gepatroj, ke mi iras al lerneja tendaro kaj ili tuj konsentis. Eble ili opiniis, ke dum mia foresto ili iom ripozos de miaj malagrablaj surprizoj. Paĉjo donis al mi monon kaj severe avertis min, ke en la tendaro mi ne ŝtelu. Li, povra, eĉ ne supozis, ke mi iras ĝuste por perfektigi miajn ŝtelistajn konojn.

Nin instruis du tre spertaj ŝtelistoj. Mi devas konfesi, ke ili sciis tre multajn sekretojn, sed ŝajnis al mi, ke mi estis pli bona ol ili. En tiu ĉi tendaro mi komprenis, ke ĉiun metion oni devas lerni longe kaj pacience. Sendepende kiom talenta vi estas kaj kiom da dotis vin la naturo, vi bezonas perfektigi viajn spertojn kaj kapablojn.

La du aĝaj ŝtelistoj deziris nin perfektigi kaj eble poste ni devis labori por ili aŭ por ia sekreta ŝtelista organizo. Kiel en ĉiu tendaro, ankaŭ ĉi tie regis severa ordo kaj disciplino. Antaŭtagmeze estis lekcioj kaj ekzercoj kiel nomis ilin iu el la lektoroj – ŝtelisto. Posttagmeze ni ekskursis, futbalmaĉis kaj vespere amuziĝis en la dancejo. Dum la ekzercoj mi estis la plej bona kaj la lektoro, ĉirkaŭ tridekjara viro, kiu pli similis al aktoro ol ŝtelisto, estis tre kontenta pri mi kaj konstante montris min kiel ekzemplon de lerta ŝtelisto.

Tamen en la tendaro mi konatiĝis kun Gema, knabino pli juna ol mi. Mi ne sukcesis kompreni kiomjara ŝi estis, ĉar Gema ne frekventis lernejon kaj ŝi ne sciis precize kiam ŝi naskiĝis. Foje ŝi diris, ke estas dek kvarjara kaj foje, ke estas dek kvinjara. Ĝis tiam mi ne sonĝis tiel belan knabinon. Gema havis vizaĝon kaŝtankoloran kaj molan kiel silkan tukon kaj migdalajn okulojn, kiuj ĉiam mokridetis. Ŝiaj brakoj, maldikaj kaj malpezaj, similis al blankaj mevaj flugiloj kaj ŝia korpo estis elasta kiel truto.

Mi ne scias kiel Gema amikiĝis kun mi. Mi estis kiel ĉiuj aliaj buboj, sed Gema ĉiam staris ĉe mi de mateno ĝis vespero. Mi devas konfesi, ke ŝi estis ege talenta ŝtelistino, eĉ ŝajne pli talenta ol mi. Ofte, kiam ni estis kune, Gema tute senkulpe demandis min kioma estas la horo kaj tiam mi komprenis, ke mia horloĝo jam delonge estas ĉe ŝi. Gema komencis ridi, ŝiaj blankaj dentoj brilis kiel rizo kaj ŝia rido elverŝiĝis kiel akvofalo. Fiere Gema redonis al mi la horloĝon. Estis ankaŭ momentoj, kiam mi eksentis, ke ŝi ŝtelas ion de mi, sed mi ŝajnigis, ke nenion mi komprenis, por ke mi plezurigu ŝin.

Mi ekamis Geman kaj mi trafis alian mondon, kiun mi antaŭe ne konjektis. Ŝiaj kisoj narkotis min kiel centjara vino kaj ŝiaj varmaj manplatoj degelis min. Mi jam certis, ke sen ŝi mi ne povas nek spiri, nek vidi, nek aŭdi, sed io stranga komencis okazi al mi. Nesenteble mia talento kaj pasio ŝteli malaperis. La lektoro, kiu similis al aktoro, komencis koleri al mi kaj anstataŭ laŭdi min kiel en la komenco, li pli ofte kaj pli ofte skoldis min. Mi penis, ŝvitis, sed vane. Tute malaperis la facileco kaj inspiro per kiuj la diversaj aĵoj transiris de la fremdaj poŝoj en mian. Mi ne sciis kio okazis al mi. Anstataŭ perfektiĝi, mi pli kaj pli rigidiĝis. Mi komencis koleriĝi al mi mem. Ĉu mi estas la plej malkapabla? Nur Gema komprenis min kaj trankviligis min per kisoj, maturaj kaj dolĉaj kiel arbaraj fragoj.

Mi freneziĝis pro amo kaj nenio alia interesis min plu. Ofte vespere ni ambaŭ kuŝis ĉe iu arbusto, rigardantaj la profundan ĉielon kun la sennombraj pulsantaj steloj. Ŝajnis al mi, ke Gema sorĉis min kaj mirakle ŝi malŝlosis en mi alian grandan talenton − ami. Mia kapablo ŝteli −malaperis por ĉiam. Unu pasio anstataŭigis alian. Kaj nun, post tiom da jaroj, mi daŭre sonĝas Geman.

Mi ne ŝtelas. Jam la ŝtelado ne kaŭzas tian plezuron al mi kiel iam, kiam, neniu povis kompreni, kiam ies monujo nesenteble eniris mian poŝon.

남자의 아픔

마게로브와 보이코브는 서로 말하는 것을 피한다.

아무도 그 이유를 모른다. 보이코브는 고등학교 교장이고 마게로브는 교감이다.

마게로브에게는 교장의 몇 가지 행동이 마음에 들지 않았다. 그러나 나쁜 교장은 아니다.

마게로브보다 더 젊고 활기차고 일을 열심히 한다. 모든 교실을 새롭게 정비하는 데 성공해서 컴퓨터 있는 교실, 열람실 있는 큰 도서관, 욕실 있는 학교를 만들었다.

학교에 왜 욕실이 필요하냐고 마게로브는 불평했지만, 누구에게도 이 사안에 대해 한마디도 하지 않았다.

교장이 이혼하고 젊은 영어 교사 쿨레바와 사귀기 시작한 것도 마게로브 맘에 안 들었다. 학교에서는 쿨레바 있는 곳에 교장이 있다는 것을 모두 다 안다.

추문이다. 마게로브는 불만스럽다.

교장은 50살이고 쿨레바는 25살이다.

그 남자는 교장이고 그 여자는 교사다. 그래서 부인이 교장을 떠났다. 게다가 교장은 잠시라도 쿨레바를 혼자 두지 않았다. 쿨레바는 미인이고, 키는 크며, 조금 갈색의 부드러운 얼굴과 큰 눈에 아름다운 옛날 도자기를 닮은 맵시를 갖고 날씬했다. 눈의 색깔은 쉽게 표현할 수 없는데 어떨 때는 비둘기색이다가 어떨 때는 부드럽고 따뜻한 반사경의 어두운 초록색이다. 쿨레바는 수업이 없을 때는 도서관에 가서 사서인 베나와 지칠 때까지 수다를 떤다. 베나는 쿨레바와 동갑이며 일보다 수다 떨기를 더 좋아한다. 그러나 가장 웃긴 것은 쿨레바가 도서관에 들어갈 때 교장은 문으로 조용히 도둑처럼 다가가 두 사람의 말을 엿듣는다는 사실이다.

여러 차례 마게로브는 교장이 도서관 문 옆에 서서 어떻게 엿듣는지 보았다.

"이것은 추문이고 웃긴 일이다."라고 마게로브는 중얼거렸다.

1년 전 젊은 역사교사 파네브가 쿨레바와 사귀기 시작하자 교장은 파네브를 해고했다.

교장의 눈빛을 보면 교장과 쿨레바 사이의 관계가 어떤지 곧 알 수 있다.

교장이 비 오는 가을날처럼 화를 낸다면 둘 사이의 관계는 좋지 않다.

교장이 웃고 농담한다면 양쪽 모두 잘 지내고 있다.

학교에는 차가 있는데 교장만 사용하고 그 외에는 누구도 탈 수 없다.

교장과 쿨레바가 자주 차로 '예쁜 샘'이라는 휴양지에 가서 값비싼 식당에서 저녁을 먹고 나중에 멋진 호텔에서 밤을 보낸다고 여자 교사들이 험담했다.

마게로브는 그 험담을 믿지 않았다. 교장의 월급이 많지 않고 이런 즐거움을 위해서 전혀 충분하지 않음을 잘 알고 있다. 더구나 교장의 전 부인은 끊임없이 자녀양육비를 요구하며 괴롭혔다. 교장은 고등학생 두 자녀를 두고 있었는데 전부인 역시 교사로 혼자 아이들을 양육할 수 없다. 한 번은 토요일에 학교에 수첩을 두고 온 것을 알았다. 고장 난 세탁기를 수리하려고 아는 사람에게 전화를 걸어야 했는데 그 전화번호가 수첩에 적혀 있었다.

학교에 가고 싶지는 않았지만, 꼭 수리 기사에게 전화해야 했다. 학교 문에는 얼마 전에 채용된 젊은 수위가 근무하고 있다. 수위가 문을 열려고 하지 않는 것을 알아차렸지만 마게로브는 교감이라 마침내 들어가도록 열어주었다.

마게로브는 서둘러 2층으로 가서 사무실에 들어가 책상 위에 있는 수첩을 챙겼다.

들어가면서 교장실에서 어떤 소리를 들었다.

주저하지 않고 문고리를 잡자 문이 열렸다.

마게로브는 열린 문 때문이 아니라 교장실에서 본 것 때문에 놀랐다.

교장은 셔츠에 슬리퍼를 신고 창가 작은 탁자 위에 고개를 숙이고 커피를 타고 있었다.

마게로브가 문을 열자 당황한 채 몸을 돌리고, 재빠르게 감추더니 말했다.

"아이고, 교감 선생님. 안녕하세요. 이리 들어와 커피를 같이 마시죠."

마게로브는 어쩔 수 없이 방에 들어갔다. 이미 문을 열었기에 돌이킬 수 없었다.

몇 걸음을 걸어 방 가운데 있는 긴 탁자 옆에 앉았다. 장의자 위에는 이불, 담요, 방석이 있었다. 정말 조금 전 침대에서 나와 아직 장의자를 정리하지 못한 듯했다. 의자 중 하나에는 초콜릿 색 양복과 넥타이가 걸려 있다. 교장은 두 개의 커피잔에 커피를 따르고 탁자 옆 마게로브 앞에 앉았다. 두 사람은 조용히 따뜻하고 향기 나는 커피를 마시기 시작했다.

"교감 선생님." 교장이 말을 꺼냈다. "이혼하면 보신대로 이런 일이 생깁니다. 돈이 충분하지 않아 아파트를 빌릴 수도 없어요. 물론 학교에서 지내서는 안 된다는 것을 알지만 어쩌겠어요."

마게로브는 조용했다. 오늘 아침 교장은 기분이 좋다. 정말로 오늘 쿨레바를 만나기로 하여 준비하는 듯했다. 이제서야 마게로브는 교장이 왜 학교에 욕실이 필요했는지 알았다.

"그리고 교감 선생님은 이른 아침에 학교에 왜 오셨어요?" 교장이 물었다.

"교장 선생님을 감시한다고 생각하지 마세요."

마게로브는 교장을 안심시켰다.

"어제 저는 여기에 제 수첩을 잊고 가서 가지러 왔습니다. 왜냐하면, 급하게 아는 사람에게 전화해야 하거든요."

"예, 교감 선생님이 나를 감시하지 않는다고 잘 압니다."

교장은 소리 내며 작게 웃었다.

"자주 제 의견에 동의하지 않는 것을 알지만 저는 오직 교감 선생님만 믿습니다. 선생님만 학교에서 제게 험담하지 않는 유일한 분이거든요. 아시다시피 학교는 벌집과 비슷해서 모든 교사가 끊임없이 나를 험담하고 나는 그 입을 막을 수 없어요."

"가보겠습니다." 마게로브가 일어섰다.

"커피와 믿어 주셔서 감사합니다."

"저도 감사합니다."

마게로브는 나갔다.

'교장의 사는 것이 쉽지 않구나. 하지만 누구를 탓할 수 없지.' 마게로브는 깊이 생각했다.

일 년 뒤 쿨레바는 학교를 떠났다. 외국에서 일하는 기자를 알게 되었다고 여교사들이 말했다. 쿨레바는 그 사람과 함께 멀리 떠나서 곧 결혼할 것이다. 많은 시간이 지나지 않았다.

교장도 학교를 떠났다. 교장은 친구가 어디 회사에서 더 많은 급여를 주는 일자리를 제안했다고 말했다. 교장은 땅 아래로 잠기듯 사라졌다. 2년 뒤 마게로브는 연금 수령권자가 되었다.

한 번은 9월 초에 활짝 갠 조용한 오후에 '로드피'와 '오데사'거리 구석에 있는 '하얀 말'이라는 식당에 들어갔다. 습관적으로 여러 번 여기 와서 좋아하는 향기의 아니스 브랜디를 마셨다.

여기서 친구를 만나고 대화하면서 시간은 빠르게 순식간에 지나갔다. 지금 식당에 들어설 때 거의 비어있음을 알았다. 정말로 축구 시합이 있어 친구 중에 아무도 이 식당에 오지 않았다.

마게로브는 나가려고 했으나 누가 그에게 손을 흔들었다. 슬쩍 보니 보이코브였다.

4년 이상이나 그를 보지 못했다.

"안녕하세요. 교장 선생님." 마게로브는 그에게 다가갔다. "어떻게 지내세요?"

"감사합니다. 잘 지내지요." 보이코브가 대답했다. "앉지 않으실 건가요?"

"예, 나는 아니스 브랜디 마시기를 좋아해요."

마게로브는 보이코브를 쳐다보았다. 그는 마르고 피곤해 보이고, 전에 마게로브가 학교에서 보아 기억하는 똑같은 초콜릿 색 옷을 입고 있었다. 머리카락은 회색빛에 숱이 많이 빠져 있고 검은 타타르색 눈에는 이미 전의 활기찬 불꽃이 사그라져 있다. 마게로브는 아니스 브랜디를 주문하고 보이코브에게 무엇을 마실 거냐고 물었다. 보이코브는 포도 브랜디를 더 좋아한다고 대답하고 이미 주문한 브랜디를 계속 마셨다.

그들은 무엇에 대해 말할지 조용했고 어떤 따뜻한 파도

가 마게로브의 가슴에서 올라왔다. 정말 여러 해 동안 마게로브는 보이코브와 함께 일했다. 마게로브는 보이코브를 바라보며 조용히 물었다.

"그 여자를 매우 사랑했나요?" 마게로브는 이름을 언급하지 않았지만 두 사람은 누구 이야기인지 알았다.

"예" 보이코브는 대답했다. "매우. 그렇게 제가 사랑할 줄 짐작조차 못 했어요. 그 여자는 마녀였어요. 아마 그 이상일지도. 내 마음을 가져갔어요.

나는 내가 신중하고 현명한 나이든 남자로 생각했는데 아니라는 것이 아주 무서웠어요.

나는 그렇지 못했어요. 나는 계속해서 그 여자를 사랑했고 잊을 수 없었어요."

보이코브는 잔을 들어 그 속에 있는 브랜디의 남은 것을 다 마셨다. 마게로브는 교장의 여윈 얼굴을 바라보았다. 교장의 눈은 지금 불 꺼진 두 개의 납덩이를 닮았다.

마게로브는 교장에게 내가 이해한다고 말하고 싶었지만, 의미는 없다.

보이코브는 위로가 필요하지 않다.

자신의 아픔을 잘 알고 받아들이는 남자다.

21. VIRA DOLORO

Magerov kaj Vojkov evitis paroli unu kun alia. Neniu sciis kia estis la kialo. Vojkov estis direktoro de la gimnazio kaj Magerov – vicdirektoro. Al Magerov ne plaĉis pluraj el la agoj de Vojkov, sed Vojkov ne estis malbona direktoro. Pli juna ol Magerov, energia kaj entreprenema, Vojkov sukcesis renovigi la tutan lernejon, li faris lernoĉambrojn kun komputiloj, grandan bibliotekon kun legejo kaj banejon en la lernejo. Kial necesas tiu ĉi banejo en la lernejo – grumblis Magerov, sed al neniu eĉ vorton li menciis pri tio. Al Magerov ne plaĉis, ke Vojkov divorcis kaj komencis amindumi la junan instruistinon pri angla lingvo – Kuleva. Ĉiuj en la lernejo sciis, ke kie estas Kuleva, tie estas Vojkov.

Skandalo – malkontentis Magerov. – Vojkov estas kvindekjara kaj Kuleva – dudekkvin. Li estas direktoro kaj ŝi – instruistino. Lia edzino tial forlasis lin. Krome Vojkov eĉ por sekundo ne lasis Kuleva sola. Kuleva estis belulino, alta, svelta kun korpo, kiu similis al fajna antikva amforo kun tenera iom bruneca vizaĝo kaj grandaj okuloj, kies koloron oni malfacile povus difini, foje ili estis kolombkoloraj kaj foje malhelverdaj kun molaj varmaj rebriloj. Sed la plej ĉarma en ŝi estis la rideto, kiel suna printempa mateno.

Kiam Kuleva ne havis lernohorojn, ŝi iris en la bibliotekon, kie kun Vena, la bibliotekistino, babilis ĝis laciĝo. Vena estis samjara kiel Kuleva kaj preferis babili ol labori. Sed la plej ridinda estis, ke kiam Kuleva eniris la bibliotekon, Vojkov silente enŝteliĝis al la pordo kaj subaŭskultis ilin. Kelkfoje Magerov vidis kiel Vojkov staras ĉe la pordo de la biblioteko kaj subaŭskultas. Tio estas skandalo, ridindaĵo, murmuris Magerov.

Antaŭ jaro Penev, la juna instruisto pri historio komencis amindumi Kuleva, sed Vojkov maldungis lin. Laŭ la rigardo de Vojkov, Magerov povis tuj kompreni kiaj estas la rilatoj inter Vojkov kaj Kuleva. Se la direktoro estis kolera kiel pluva aŭtuna tago, la rilatoj inter li kaj Kuleva ne estis bonaj. Se Vojkov ridis kaj ŝercis - kun ambaŭ ĉio estis en ordo.

La gimnazio havis aŭton, sed nur Vojkov stiris ĝin kaj al neniu alia li permesis uzi la aŭton. La instruistinoj klaĉis, ke Vojkov kaj Kuleva ofte per la aŭto veturas al la ripozejo "Bela Fonto", kie ili vespermanĝas en luksa restoracio kaj poste tranoktas en iu eleganta hotelo. Magerov ne kredis al tiuj ĉi klaĉoj. Li bone sciis, ke la salajro de Vojkov ne estas granda kaj ĝi tute ne sufiĉos por similaj plezuroj. Krome la eksedzino de Vojkov senĉese persekutis lin por la infana vivteno. Vojkov havis du filojn, gimnazianoj, lia eksedzino ankaŭ estis instruistino kaj ŝi ne povis sola vivteni la filojn.

Foje sabate Magerov rimarkis, ke li forgesis sian notlibreton en la lernejo. Li devis telefoni al sia konato por ripari la difektitan lavmaŝinon, sed lia telefonnumero estis en la notlibreto. Magerov ne havis emon iri en la lernejon, tamen li nepre devis telefoni al riparisto.

Ĉe la pordo de la gimnazio staris la gardisto, junulo, kiu estis antaŭnelonge dungita. Magerov rimarkis, ke la junulo ne tre emas malŝlosi al li la pordon, tamen Magerov estas vicdirektoro kaj fin-fine la gardisto permesis al li eniri la lernejon. Magerov rapide iris sur la duan etaĝon, eniris sian kabineton kaj prenis la notlibreton, kiu kuŝis sur la skribotablo. Elirante li aŭdis ian bruon de la direktora kabineto. Sen hezito Magerov premis la klinkon de la pordo kaj ĝi malfermiĝis. Ne la malŝlosita pordo surprizis Magerov, sed tio, kion li vidis en la kabineto. Vojkov en ĉemizo kaj pantofloj estis klinita super la eta tablo ĉe la fenestro kaj kuiris kafon. Kiam Magerov malfermis la pordon, Vojkov turnis sin konfuzita, sed rapide li kaŝis sian konfuzon kaj diris:

- Ho, Magerov, bonan matenon, bonvolu eniri, ni kune trinkos kafon.

Magerov sendezire eniris la ĉambron. Li jam estis malfermita la pordon kaj ne povis reveni. Magerov faris kelkajn paŝojn kaj sidis ĉe la longa tablo en la mezo de la ĉambro. Sur la kanapo estis littuko, litkovrilo kaj kuseno. Verŝajne Vojkov ĵus ellitiĝis kaj li ankoraŭ ne ordigis la kanapon. Sur unu el la seĝoj pendis lia ĉokoladkolora kostumo kaj lia kravato. Vojkov verŝis la kafon en du kaftasojn kaj eksidis ĉe Magerov ĉe la tablo. Ambaŭ silente komencis trinki la varman kaj aroman kafon.

- Magerov, − ekparolis Vojkov − vi vidas. Tiel okazas, kiam oni divorcas. La mono ne sufiĉas kaj mi ne povas lui loĝejon. Mi scias, ke mi ne devas loĝi en la gimnazio, sed kion fari.

Magerov silentis. Ĉimatene Vojkov havis bonhumoron, verŝajne hodiaŭ li renkontiĝos kun Kuleva kaj li preparis sin. Nun Magerov divenis kial Vojkov bezonis banejon en la lernejo.

- Kaj vi, Magerov, kial vi venis frumatene en la gimnazion? − demandis Vojkov.

- Ne pensu, ke mi spionas vin − trankviligis lin Magerov. − Hieraŭ mi forgesis ĉi tie mian notlibreton kaj mi venis preni ĝin, ĉar urĝe mi devas telefoni al konato.

- Jes, mi bone scias, ke vi ne spionas min − ekridetis voĉe Vojkov. − Mi scias, ke vi ofte ne konsentas kun mi, sed nur al vi mi fidas. Vi estas la sola en la lernejo, kiu ne klaĉas pri mi. Vi scias, la lernejo similas al vespejo kaj ĉiuj geinstruistoj senĉese klaĉas pri mi, sed mi ne povas fermi iliajn buŝojn.

- Mi devas iri − ekstaris Magerov. − Dankon pro la kafo kaj fido.

- Ankaŭ mi dankas.

Magerov eliris. Ne estis facile al Vojkov, sed al neniu li povis koleri, meditis Magerov.

Post jaro Kuleva forlasis la gimnazion. La instruistinoj diris, ke ŝi konatiĝis kun ĵurnalisto, kiu laboras eksterlande. Kuleva forveturis kun li kaj baldaŭ ili geedziĝos.

Ne pasis multe da tempo kaj ankaŭ Vojkov forlasis la gimnazion. Li diris, ke lia amiko proponis al li laboron kun pli alta salajro en iu firmo. Vojkov malaperis, kvazaŭ dronis sub la tero.

Post du jaroj Magerov iĝis pensiulo. Foje, en la komenco de septembro, en friska silenta posttagmezo Magerov eniris la restoracion "Blanka ĉevalo", ĉe la angulo de la stratoj "Rodopi" kaj "Odesa". Li kutimis foje-foje veni ĉi tien kaj trinki glason da aniza brando, li ŝatis la aromon de la aniza brando. Ĉi tie li renkontiĝis kun amikoj kaj en konversacioj la tempo pasis rapide kaj nesenteble. Nun, kiam li eniris la restoracion, li rimarkis, ke ĝi estas preskaŭ malplena. Verŝajne estis futbalmatĉo kaj neniu el liaj amikoj venis en la restoracion. Magerov deziris eliri, sed iu mansvingis al li. Li strabis rigardon kaj vidis

Vojkov. Pli ol kvar jarojn Magerov ne renkontis lin.

- Saluton, Vojkov – proksimiĝis Magerov al li. – Kiel vi fartas?

- Dankon, bone – respondis Vojkov. – Ĉu vi ne sidiĝos?

–Jes, mi ŝatus trinki glason da aniza brando.

Magerov alrigardis Vojkov. Li estis maldika, laca, vestita en la sama ĉokoladkolora kostumo, kiun Magerov memoris de la gimnazio. La hararo de Vojkov griziĝis, maldensiĝis kaj en liaj nigraj tataraj okuloj jam ne flamis la antaŭa vigla fajro.

Magerov mendis anizan brandon kaj demandis Vojkov kion li trinkos. Vojkov respondis, ke li preferas vinberan brandon kaj daŭrigis trinki la brandon, kiun li jam mendis. Ili silentis, pri kio ili parolu. Iu varma ondo leviĝis en la brusto de Magerov. Ja, dum pluraj jaroj li kaj Vojkov kune laboris. Magerov alrigardis Vojkov kaj mallaŭte lin demandis.

- Ĉu vi tre amis ŝin?

Magerov ne menciis nomon, sed ambaŭ sciis pri kiu temas.

- Jes – respondis Vojkov – tre. Neniam mi

supozis, ke tiel mi povas ami. Ŝi estis sorĉistino, eble io pli. Ŝi prenis mian koron. La plej terure estas, ke mi opiniis, ke mi estas serioza, saĝa, aĝa viro, sed ne. Mi ne estas tia. Mi daŭre amas ŝin kaj mi ne povas forgesi ŝin.

Vojkov levis sian glason kaj fortrinkis la restaĵon de la brando en ĝi. Magerov rigardis lian maldikan vizaĝon. Liaj okuloj nun similis al du estingitaj karboj. Magerov deziris diri al Vojkov, ke li komprenas lin, sed ne estis senco. Vojkov ne bezonis kompaton. Li estas viro, kiu bone komprenas kaj akceptas sian doloron.

여우식당

상쾌한 여름날 오후입니다.

식당 '조용한 숲'은 말 그대로 조용합니다.

때때로 자동차들이 차도(車道)를 따라 지나가지만, 어느 차(車)도 식당 앞에서 멈추지 않습니다. 게르긴 아저씨는 탁자에 앉아 어두운 소나무들 사이로 긴 다람쥐 꼬리처럼 여기저기 뻗어서, 멀리 사라져 가는 차도를 보고 있습니다.

아저씨는 황금으로 만든 공이 주조된 철의 바닷속에 잠긴 듯, 해가 산꼭대기 너머로 사라지는 순간을 좋아합니다.

숲, 계곡 아래로 흐르는 급류, 새들의 합창, 산맥 사이 바람조차 마치 모든 것이 조용해진 듯합니다.

저녁이 그리움처럼 산으로 옵니다. 아저씨는 탁자에 조용하게 앉아있다가 갑자기 작게 부스럭거리는 소리를 들었습니다. 처음에는 그렇게 들렸는데 소리가 조금 더 세게 계속되었습니다.

마치 수풀 속에서 누군가 나와 거의 숲에 놓여있는 식당 맨 끝 탁자에 가까이 온 것 같습니다.

아저씨는 머리를 들어 주위를 둘러보았습니다. 갑자기 몸이 굳어졌습니다.

거기에 맨 끝 탁자 가까이에 작고 누런 불꽃처럼 두 눈이 빛나고 있습니다.

여우였습니다.

서서 아저씨를 주의 깊게 살펴봅니다. 몇 초 동안 아저씨와 여우는 움직이지 않았습니다.

아저씨는 여우를 놀라게 하기 싫고 여우는 아저씨를 잘 살피고 싶어 하는 것 같았습니다.

아저씨는 여우, 산양, 산돼지가 있다는 것은 알지만 지금까지 야생동물은 보지 못했습니다.

여우는 움직이지 않고 조금 서 있다가 뒤에 주위를 둘러보더니 탁자 아래서 무엇인가 먹을 것을 찾아 먹기 시작했습니다.

'그래. 훔치지 않고 스스로 먹을 양식을 찾는다면 괜찮지' 아저씨가 말했습니다.

여우는 여기저기 빵과 살라미 소시지 조각을 찾으며 탁자 둘레를 돌아다녔습니다.

나중에는 나타날 때처럼 그렇게 조용히 사라졌습니다.

다음 날 숲에 있는 식당에서는 더 큰 소동이 났습니다.

차들이 훨씬 더 자주 멈추고 사람들이 와서 탁자에 앉아 아침이나 점심을 먹었습니다.

아저씨는 고기를 굽고 맥주잔을 채우고.

정신없이 그렇게 하루가 지나갔습니다.

해가 지기 전에 탁자 둘레를 깨끗하게 쓸기 시작했습니다.

빗자루에 몸을 기대고 있을 때 누군가 자신을 살피는 것을 느꼈습니다. 머리를 들어 맨 끝 탁자를 쳐다보고 여우를 바라보았습니다.

어제처럼 같은 장소에 서서 조심스럽게 아저씨를 쳐다보았습니다. 아저씨는 잠시 숨을 멈추고 놀라게 하지 않으려고 긴장했습니다.

여우를 놀라게 하지 않으려는 것을 마치 아는 듯, 사람들이 먹다 남긴 무엇인가 먹을 것을 찾으며 탁자 둘레를 어슬렁거리기 시작했습니다.

다음날 아저씨는 더 잘 대하리라 결심하고, 해가 지기 전에 구운 닭고기 조각을 가장 구석 탁자 아래에 두었습니다. 여우가 다시 올 것인지 보려고 했습니다. 그런 약삭빠른 동물이 그렇게 사람 가까이 날마다 감히 오리라고 아직도 믿고 싶지 않았습니다. 여우는 저녁에 나타난다고 알고 있습니다. 낮에는 자신을 숨깁니다.

그러나 여우를 기다리면서 다시 어느 탁자에 앉았습니다. 담배 연기가 여우를 두렵게 만들지 않도록 담뱃불도 태우지 않고 움직이지 않고 앉았습니다.

마침 해가 저 먼 언덕 뒤로 사라질 때 식당 앞에 자동차가 서더니 두 젊은이가 내렸습니다.

"손님, 잠깐만 기다려 주세요. 무언가 보여주고 싶어요."

아저씨가 그들에게 말했습니다.

젊은이들은 호기심을 가지고 아저씨를 보았습니다.

"해가 지는 이 시간에 여우가 나타나요. 여우를 위해 저 탁자 아래에 고기를 놓고 기다리고 있어요. 나중에 주문 받을게요. 괜찮지요?"

아저씨가 자초지종을 이야기했습니다.

젊은이는 놀라서 서로 쳐다봤습니다.

아마 남자가 미쳤거나 농담하는 것으로 생각했습니다.

'무슨 여우? 이 밝은 낮에. 여우가 그렇게 미련한가!'

속담에 따르면 여우는 시장에 가지 않습니다.

그렇지만 젊은이는 아저씨가 무엇을 할 것인지 보려고 탁자에 앉았습니다.

채 10분도 지나지 않아 여우가 나타났습니다.

닭고기 조각을 찾아 맛있게 먹기 시작했습니다.

아저씨는 젊은이들에게 움직이지 말고 부드럽게 여우를 쳐다보라고 몸짓으로 알려 주었습니다.

지금 더 자세히 여우를 관찰할 수 있습니다.

여우는 예뻤습니다. 빛나는 적황색 털, 날카로운 주둥이, 두 개로 쪼개진 듯한 호박색 작은 눈동자, 무겁게 곤두 선 꼬리가 있습니다.

먹으면서 때때로 고개를 들고 아저씨를 쳐다보는데 마치 조그맣게 웃는 듯했습니다.

부드러움에 휩싸여 조용히 말했습니다.

'너는 아름다운 여우구나. 황금색이며 약삭빠르고 배고프 지 않으려면 어디로 가야 할지 아는구나. 여기 게르긴 집에서는 절대 배고프지 않을 거야.
여행자를 위해, 너 같은 숲의 동물을 위해 항상 먹을 것이 있어.'
여우는 고기 조각을 다 먹고, 뭔가 다른 남은 것이 없는지 탁자 둘레를 돌아다니다가, 아무것도 없는 것을 알고 곤두선 꼬리를 흔들며 몸을 돌려 사라졌습니다.
숲으로 들어가기 전에 여우가 다시 아저씨를 쳐다보고 작게 웃는 듯이 보였습니다.
"이런 것을 결코 본 적이 없어요."
젊은이 중 하나가 여우 뒤를 쳐다보면서 말했습니다.
"나도 전에는 이런 것을 결코 본 적이 없어요."
아저씨가 말했습니다.
"그러나 두 눈으로 똑똑히 보았지요. 젊은이처럼 여행자로 처음 이곳에 와서 먹을 것을 주문해요. 여기서 가장 중요한 것은 훔치지 않고 빼앗지 않고, 사람들이 먹다 남긴 것을 단순히 먹고 뒤에는 조용히 간다는 사실이에요. 나는 그것을 여우의 교양이라고 불러요."
젊은이들은 먹을 것과 맥주를 주문하고 여우에 대해 계속 말합니다.
"정말 여우는 약삭빠르네요. 오직 동화책에서나 이야기한다고 생각했는데요."
곤두선 여우 꼬리를 닮은 무성한 머리카락을 가진 젊은이 중 하나가 놀랐습니다.
그들이 떠난 뒤 아저씨는 탁자를 깨끗이 한 뒤에 TV를 보려고 방으로 들어갔습니다.

여름 한 철 동안 여기에서 살고 있습니다.

가족도 없이 혼자 산속에서 잘 지내고 있습니다.

아내는 10년 전에 죽었고 아들은 5년 전에 교통사고로 생을 다 했습니다.

며느리는 손자와 함께 마을에 살고 있습니다.

아저씨는 여기 산속 식당에서 일하여 번 돈으로 며느리를 돕고 있습니다.

일하면서 걱정 때문에 숨이 막힙니다.

지금 TV를 보면서 다시 여우에 대해 생각했습니다.

혼자 말합니다.

'누구는 고양이를 키우고, 다른 사람은 개, 앵무새, 박새를 키우지만, 나는 이미 여우, 황금색 약삭빠른 여우를 갖고 있어.'

마치 신이 보내준 듯합니다.

언젠가 죽은 뒤에는 사람들이 동물로 다시 태어난다고 믿는 부족이 있다고 들었습니다.

지금 아들 도브리가 이 여우로 다시 태어나 조용히 온 것이라고 믿고 싶었습니다.

매일 해지기 바로 전에, 어떤 여우가 식당 '조용한 숲'에 나타난다는 소문이 빠르게 퍼져갔습니다.

여우가 조용히 탁자 둘레를 다니고 사람들이 먹다 남긴 것이나 먹으라고 던져주는 것을 먹는다고 사람들이 서로 이야기하기 시작했습니다.

아저씨는 매일 구운 닭고기 조각을 주고 여우는 매우 고마워합니다. 수많은 사람이 여우를 보러 '조용한 숲' 식당을 오기 시작했습니다. 식당이 가득 차서 주인 이반 드라세브는 매우 만족했습니다. 수입이 훨씬 많아지자 드라세브는 의기양양했습니다. 두 달 전에만 해도 수익이 나지 않아 식당을 그만두려고 했습니다. 여우가 여기 온 뒤부터 수입이 갈수록 늘었습니다. 다음 여름에는 식당을 더 새롭게 꾸미려고 생각했습니다.

여기 오는 사람들은 결코 전에는 비슷한 무언가를 본 적이 없습니다.

여우는 길든다고 누군가는 주장합니다. 누구는 눈을 믿고 싶지 않습니다. 그래서 누구나 여우를 찍기 위해 카메라를 가지고 왔습니다. 여우는 사람 때문에 놀라지 않고 점점 가까워졌습니다.

그러나 아저씨를 가장 잘 알아봅니다. 아저씨를 보면 더 조용하고 더 친절해집니다. 아저씨는 반드시 해야 할 일을 알고, 구운 닭고기 조각을 빠뜨리지 않고 줍니다.

친구들이 아저씨를 놀립니다.

"게르긴, 여우를 길들인 것이 네가 아니라 여우가 너를 길들인 거야. 아마 조금 후에는 닭고기뿐만 아니라 맥주도 달라고 할걸.

여우는 여자보다 더 약삭빠르다는 것을 반드시 알아라.

만약 여우가 말을 할 수 있다면 모든 소원을 반드시 들어주어야 할걸."

아저씨는 웃었습니다.

여우가 모르는 사이에 삶을 바꿨다는 것이 기분 좋았습니다. 더 즐거워하고 더 수다스러워졌습니다. 이미 중요한 한 가지 일거리, 여우 돌보기가 있습니다.

"소중하구나." 아저씨가 말했습니다.

'여우도 친구가 필요해 나를 뽑아 준 거야. 전에는 아무도 여기에 오지 않았지.

여우가 오고 수많은 사람이 와 아침부터 저녁까지 식당이 가득 찼네.'

찻길을 따라 저쪽 계곡 아래에는 다른 식당이 있습니다. 여우 때문에 다른 식당 '방앗간'은 점점 손님이 없어져 방앗간의 주인이 여우를 총으로 쏴 죽인다고 협박했다고 사람들이 말합니다.

아저씨도 그 소리를 들었지만, 이 경고를 믿지 않았습니다. '이 여우는 약삭빠르므로 그렇게 쉽게 총을 쏴 죽일 수 없을 거야' 아저씨가 말했습니다.

그렇지만 경고가 자주 거듭되자 아저씨는 심각하게 생각해 빠졌습니다.

'방앗간'의 망나니들은 정말 어떤 해를 끼칠 수도 있어.

여우를 어떻게 지킬 수 있지?

여우를 묶을 수도 없고 우리에 넣고 문을 닫을 수도 없는데.

숲속에 살아 자유롭게 사는 동물인데, 원하는 대로 돌아다니고 여기 오고 싶다고 정하면 오는데, 나를 찾아오는

데 내 책임이 있나? 하지만 어떻게 돕지. 나 때문에 정말 죽을 텐데.

훔치거나 빼앗거나 하지 않았어. 스스로 먹이를 구했지. 여우도 혼이 있고 태어나 이 세상에서 살아간다. 모든 존재와 같이할 수 있는 만큼 그렇게 살아간다. 누구에게 나쁜 짓을 하지 않았다.'

어떻든 아저씨는 여우를 구하기 위해 무엇을 할지 깊이 생각했습니다.

'쫓아내 이리 오지 못하도록 할까? 숲에서 훨씬 더 멀리 가 아무도 찾지 못하게 하자.'

마음은 여우를 쫓아내고 싶지 않았습니다.

혼잣말했습니다.

'잘못은 내게 오는 것이니 쫓아내자.'

어느 현명한 사람이 손님을 쫓아내는가? 집에 온 손님은 집에 계신 하나님이라고 정말 속담은 말합니다. 그리고 죄 없는 동물을 쏴 죽이는 나쁜 마음을 가진 잔인한 사람이 있다고 믿지 않았습니다. '누가 즐거움 때문에 동물을 쏴 죽이는가?'

아저씨는 그렇게 생각하지만, 여전히 불안했습니다.

여우, 조금 약삭빠른 주둥이, 호기심이 넘치는 호박색 작은 눈동자, 곤두선 꼬리, 떨리는 듯한 작은 웃음 때문에 기뻤습니다. 스스로 되풀이했습니다.

'감히 누구라도 여우에게 나쁜 짓을 하도록 가만두지 말자.'

그러나 어느 날 9월 초에 무슨 일이 일어날 것 같은 느낌이 들었습니다.

밤에 잘 자지 못하고 이상한 꿈을 꾸고, 이른 아침에 무언가가 마음을 찔렀습니다. 아들 도브리와 아저씨는 산에 있는 투명한 강에서 허우적댔습니다.

이 꿈은 마음에 들지 않았습니다.

투명한 강은 눈물을 의미하는데 혼잣말했습니다.

언제나처럼 이날도 식당에는 손님이 많았습니다.

누군가 오후에 여우를 보러 왔습니다. 모든 먹을 것과 마실 것을 대접하느라 서둘렀습니다. 해가 언덕 너머로 지기 시작할 때, 여우를 위해 구운 닭고기 조각을 가져왔습니다.

"지금 내 약삭빠른 친구가 올 거예요."

손님들에게 자랑스럽게 말했습니다.

"사진기를 준비하세요."

탁자에 앉아있던 남자, 여자, 아이 모두 조용해졌습니다. 시간이 많이 지나지 않아 여우가 나타났습니다. 숲에서 나와 수영하듯 부드러운 발걸음으로 닭고기 조각이 있는 쪽으로 갔습니다. 냄새를 맡기 전에 주위를 둘러보고 아저씨에게 고맙다는 듯이 작은 주둥이를 움직이고 달콤하게 먹기 시작했습니다. 모두 놀라서 여우를 쳐다보았고 아이들조차 움직이려고 하지 않았습니다. 이 순간에 아저씨가 두려워한 일이 일어났습니다. 숲에서 커다랗게 총소리가 났습니다. 여우는 두려운 듯 뛰다가 멀리 달려

가는 대신 몸을 돌려 채 먹지 못한 고기 조각 옆으로 넘어졌습니다. 호박색 눈은 마치 '왜'라고 묻고 싶은 듯 부릅뜬 채였습니다. 아저씨는 울면서 고통스러웠습니다. 탁자에 있는 사람들은 돌처럼 굳었습니다. 여우는 움직이지 않고 누워있습니다. 여우가 총에 맞아 죽은 뒤 아저씨는 식당을 떠났습니다.

집주인 드라세브에게 말했습니다.

"이반, 정말로 제 잘못입니다. 하지만 고백하고 싶은 것은 내 아들 도브리를 위해서는 여우한테만큼이나 그렇게 울지 않았어요."

조금씩 '조용한 숲' 식당은 활기를 잃어갔습니다.

자동차는 훨씬 가끔 여기에 멈춥니다.

더 식당에 손님들이 오지 않는다고 드라세브가 볼 때 문을 닫았습니다.

그리고 지금 찻길에서 녹슨 양철 건물을 볼 수 있습니다. 거기에는 거의 비에 씻겨진 어두운 간판 글씨 '조용한 숲'이 남아있습니다.

그러나 식당 벽 위에 석탄으로 서툴고 갈겨쓴 글씨로 '여우식당'이라고 쓰여 있습니다.

21. VULPA RESTORACIO

Estis friska somera posttagmezo. La restoracio "Kvieta arbaro" dronis en silento. De tempo al tempo aŭtoj pasis sur la ŝoseo, sed neniu el ili haltis antaŭ la restoracio. Onklo Gergin sidis ĉe unu tablo kaj rigardis al la ŝoseo, kiu zigzagis kiel longa sciura vosto preter la malhela pinarbaro kaj malaperis malproksimen. Onklo Gergin ŝatis tiun ĉi momenton, kiam la suno dronis kiel ora pilko en maro de fandita metalo kaj malaperis post la montofrunto. Kvazaŭ ĉio silentiĝis: la arbaro, la torento malsupre en la ravino, la birda koruso, eĉ la montara vento. La vespero venis de la monto kiel sopiro. Onklo Gergin sidis silente ĉe la tablo kaj subite aŭdis etan bruon. En la unua momento kvazaŭ tiel ŝajnis al li, sed la bruo ripetiĝis iom pli forte, kvazaŭ iu eliris el la arbusto, proksime al la lasta restoracia tablo, kiu staris preskaŭ ĉe la arbaro. Onklo Gergin levis kapon kaj ĉirkaŭrigardis. Subite li rigidiĝis. Tie, proksime al la lasta tablo brilis du okuloj kiel etaj flavaj flamoj. Ho, surpriziĝis la onklo. Vulpo. Ĝi staris kaj atente observis lin. Kelkajn sekundojn li kaj la vulpo ne moviĝis. Onklo Gergin ne deziris timigi ĝin kaj la vulpo eble deziris bone esplori lin. Onklo Gergin sciis, ke en la arbaro estas vulpoj, kaprioloj, aproj, sed ĝis nun li ne vidis sovaĝajn bestojn. La vulpo iom staris senmova, poste ĉirkaŭrigardis, trovis ion por manĝi sub la tablo kaj komencis manĝi.

– Ho, se vi ne ŝtelas kaj vi mem serĉas la nutraĵon, eblas – diris onklo Gergin.

La vulpo promenis ĉirkaŭ la tablo trovante ie-tie pecetojn da pano, salamon kaj poste tiel silente kiel ĝi venis, malaperis.

La sekvantan tagon en la arbara restoracio estis pli da tumulto. Pli ofte haltis aŭtoj, la homoj venis, sidis ĉe la tabloj, matenmanĝis aŭ tagmanĝis. Onklo Gergin rostis viandon, plenigis glasojn per biero kaj tiel la tago nesenteble pasis. Antaŭ la sunsubiro li komencis balai kaj purigi ĉirkaŭ la tabloj. Kaj kiel li estis klinita kun balailo, li eksentis, ke iu observas lin. Li levis kapon, alrigardis al la lasta tablo kaj vidis la vulpon. Ĝi staris ĉe la sama loko kiel hieraŭ kaj singarde observis lin. Onklo Gergin haltigis la spiradon, kuntiriĝis por ne timigi ĝin. La vulpo kvazaŭ komprenis, ke li ne deziras timigi ĝin kaj komencis denove promeni ĉirkaŭ la tabloj, serĉante ion por manĝi, kio restis de la homoj.

La sekvantan tagon onklo Gergin decidis esti pli gastema kaj antaŭ la sunsubiro li prenis pecon de rostita kokida viando kaj metis ĝin sub la plej flanka tablo. Li deziris vidi ĉu la vulpo denove venos. Li ankoraŭ ne deziris kredi, ke tia ruza besto kuraĝos ĉiutage veni tiel proksimen al la homoj. Onklo Gergin sciis, ke la vulpoj eliras nokte. Tage ili kaŝas sin. Tamen li denove eksidis ĉe iu tablo por atendi la vulpon. Li sidis senmova, eĉ cigaredon ne bruligis, por ke la tabaka fumo ne timigu la vulpon. Ĝuste, kiam la suno malaperis malantaŭ la fora monteto, antaŭ la restoracio haltis aŭto kaj el ĝi eliris du junuloj.

- Junuloj, - diris al ili onklo Gergin — atendu iomete, mi deziras montri ion al vi.

La junuloj scivoleme alrigardis lin.

- En tiu ĉi tempo, kiam la suno subiras ĉi tien

venas vulpo – klarigis onklo Gergin . – Por ĝi mi metis tie, sub la tablo, viandon kaj mi atendas ĝin. Poste mi servos al vi, ĉu eblas?

La junuloj mire rigardis unu la alian. Eble ili opiniis, ke la viro estas freneza aŭ ŝercas. Kia vulpo, ja estas hela tago. Ĉu la vulpo estas stulta? Ja, laŭ la proverbo vulpo en bazaron ne iras. La junuloj tamen sidis ĉe tablo por vidi kion faros la onklo. Ne pasis eĉ dek minutoj kaj la vulpo venis. Ĝi trovis la pecon de kokida viando kaj komencis frandeme manĝi. Onklo Gergin geste avertis la junulojn, ke ili ne moviĝu kaj li milde rigardis la vulpon. Nun onklo Gergin povis pli detale trarigardi ĝin. La vulpo estis bela. Ĝi havis brilan flavruĝan besthararon, akran buŝegon, etajn okulojn, similajn al du fendaĵoj sukcenkoloraj kaj pezan hirtan voston. La vulpo manĝis kaj de tempo al tempo levis kapon, alrigardis onklon Gergin kaj kvazaŭ ridetis al li. Li, obsedita de mildeco, flustris: "Belulino vi estas. Orkolora kaj ruza. Vi scias kien veni por ne estis malsata. Ĉi tie, ĉe onklo Gergin, neniam vi malsatos. Ĉiam estos io por manĝi, kaj por vojaĝanto, kaj por arbara besto kiel vi."

Kiam la vulpo formanĝis la viandpecon, ĝi promenis ĉirkaŭ la tabloj por vidi ĉu ne restis io alia kaj trovante nenion alian, ĝi turnis sin, svingis per la hirta vosto kaj malaperis. Antaŭ ĝia eniro en la arbaron al la onklo Gergin ŝajnis, ke la vulpo denove alrigardis lin kaj ruze ekridetis.

- Tion neniam ni vidis — diris unu el la junuloj, rigardante post la vulpo.

- Ankaŭ mi neniam vidis tion antaŭe — diris onklo Gergin, - sed jen vi vidis ĝin per siaj propraj okuloj. Ĝi venas ĉi tien kiel vojaĝanto, kiel vi, kaj ĝi mendas por si mem manĝaĵon. Por mi la plej grave estas, ke ĝi ne ŝtelas, ne rabas, nur manĝas tion, kio restas de la homoj kaj poste ĝi foriras. Tion mi nomas vulpa edukeco.

La junuloj mendis manĝaĵon kaj bieron kaj daŭrigis paroli pri la vulpo.

- Vere, ke la vulpoj estas ruzaj kaj mi opiniis, ke tio oni rakontas nur en la fabeloj — miris unu el la junuloj, kies densa hararo similis al la hirta vulpa vosto.

Post ilia foriro onklo Gergin purigis la tablojn kaj eniris la domon por spekti televizion. Dum la tuta somero li loĝis ĉi tie. Sola li estis, ne havis familion kaj en la montaro li fartis bone. Lia edzino forpasis antaŭ dek jaroj kaj lia filo pereis en aŭtomobila akcidento antaŭ kvin jaroj. La bofilino de onklo Gergin kun la nepoj loĝis en la vilaĝo. Onklo Gergin laboris ĉi tie, en la montara restoracio, kaj tiel helpis per mono al la bofilino. Laborante li ne permesis al la ĉagreno sufoki lin.

Nun onklo Gergin spektis televizion kaj denove pensis pri la vulpo. Iuj — diris li al si mem — havas katojn, aliaj — hundojn, papagojn, paruojn, kaj mi jam havas vulpon, orkoloran kaj ruzan vulpon. Kvazaŭ Dio sendis ĝin al mi.

Iam li aŭdis, ke estas triboj, kiuj kredas, ke post la morto la homoj renaskiĝas en bestojn kaj nun li deziris kredi, ke lia filo Dobri renaskiĝis en tiun ĉi vulpon kaj tial trankvile ĝi venas al li.

La famo, ke ĉiutage ĵus antaŭ la sunsubiro iu vulpo venas en la restoracion "Kvieta Arbaro" rapide disvastiĝis. La homoj komencis rakonti unu al alia, ke la vulpo trankvile promenas ĉirkaŭ la tabloj kaj manĝas la manĝrestaĵojn de la homoj aŭ la homoj mem ĵetas al ĝi ion por manĝi, kaj onklo Gergin ĉiutage donas al la vulpo rostitan kokidan pecon kaj la vulpo estas tre dankema al li. Multaj homoj komencis veni en la restoracion "Kvieta Arbaro" por vidi la vulpon. La restoracio plen-pleniĝis kaj ĝia posedanto Ivan Drasev estis tre kontenta. La gajno plimultiĝis kaj Drasev fanfaronis:

– Ja, antaŭ du monatoj mi deziris likvidi la restoracion, ĉar nenion mi profitis de ĝi, sed de kiam la vulpo komencis veni ĉi tien, mia profito pligrandiĝis. Venontsomere mi renovigos la restoracion.

La homoj, kiuj venis ĉi tien, neniam antaŭe vidis ion similan, iuj opiniis, ke la vulpo estas malsovaĝigita, aliaj ne deziris kredi al siaj okuloj, sed ĉiuj venis kun fotiloj kaj kameraoj por foti la vulpon. Kaj la vulpo ne timiĝis de la homoj, ĝi alkutimiĝis al ili, sed la plej bone ĝi konis onklon Gergin kaj kiam vidis lin, ĝi iĝis pli trankvila kaj pli amikema. Kaj onklo Gergin sciis sian devon kaj ne preterlasis doni al ĝi la pecon rostitan kokidan viandon. Liaj amikoj primokis lin:

– Gergin, ne vi malsovaĝigis tiun ĉi vulpon, sed ĝi vin. Eble post iom da tempo ĝi igos vin servi al ĝi ne nur kokidan viandon, sed ankaŭ bieron. Vi devas scii, ke la vulpoj estas pli ruzaj ol la virinoj kaj se ĝi povus paroli vi certe estus preta plenumi ĉiujn ĝiajn dezirojn.

Onklo Gergin ridis kaj agrable estis al li, ke la vulpo nesenteble ŝanĝis lian vivon. Li iĝis pli gaja kaj pli parolema. Jam li havis unu gravan devon: zorgi pri la vulpo.

- Kara ĝi estas - diris onklo Gergin - ankaŭ ĝi bezonas amikon kaj ĝi elektis min. Antaŭe preskaŭ neniu venis ĉi tien kaj jen, venis la vulpo kaj alvenigis tiom da homoj, ke la restoracio jam de matene ĝis vespere estas plen-plena.

Tie, laŭ la aŭtovojo, malsupre en la valo estis alia restoracio. Oni parolis, ke pro la vulpo la homoj en la alia restoracio, kiu nomiĝis "Muelejo" iĝis pli kaj pli malmultaj kaj la posedanto de "Muelejo" minacis mortpafi la vulpon. Tion aŭdis ankaŭ onklo Gergin, sed li ne kredis tiujn ĉi minacojn. Mia vulpo estas ruza, diris li, kaj oni ne povas tiel facile mortpafi ĝin. Tamen la minacoj ripetiĝis pli ofte kaj pli ofte, kaj onklo Gergin serioze enpensiĝis. "Tiuj ĉi kanajloj de "Muelejo" vere povas fari iun damaĝon, sed kiel mi antaŭgardu mian vulpon? Mi ne povas ligi ĝin, nek fermi ĝin en kaĝo. Ĝi estas arbara estaĵo kaj alkutimiĝis vivi libere. Ĝi vagas kie ĝi deziras. Jen ĝi decidis veni ĉi tien kaj venas. Ĉu mi estas kulpa, ke ĝi elektis min? Sed kiel mi helpu ĝin? Pro mi oni vere povas mortpafi ĝin. Ja, ĝi ne ŝtelas, nek rabas. Ĝi mem serĉas la manĝaĵon. Ankaŭ ĝi havas animon kaj ankaŭ ĝi naskiĝis kaj ekvivis en tiu ĉi mondo kaj kiel ĉiuj estaĵoj ĝi vivas tiel, kiel ĝi povas. Al neniu malbonon ĝi faras."

Tamen onklo Gergin meditis kion fari por savi la vulpon. Ĉu mi ne forpelu ĝin kaj mi malalkutimigu ĝin veni ĉi tien? Pli bone ĝi vagu malproksime en la arbaro kaj neniu trovu ĝin. Tamen lia koro ne permesis forpeli la vulpon. Peko estas, diris li al si mem, ĝi venas al mi kaj mi forpelu ĝin. Kiu saĝa homo forpelas siajn gastojn. Ja, la proverbo diras: "Gasto en la domo – Dio en la domo." Kaj li ne kredis, ke ekzistas tiel kruelaj homoj, kiuj havas malican koron kaj mortpafos la senkulpan beston. Ĉu iu mortpafos ĝin pro plezuro? Tiel opiniis onklo Gergin, sed li ne estis trankvila. Ĝojis li al la vulpo, al ĝia ruzeta buŝego, al ĝiaj scivolemaj sukcenkoloraj okuletoj, al ĝia hirta vosto, al ĝia flirtema rideto kaj li ripetis al si mem: nur neniu malbonon faru al ĝi.

Tamen iun tagon en la komenco de septembro onklo Gergin eksentis, ke io okazos. Frumatene io pikis lian koron, ĉinokte li malbone dormis kaj sonĝis strangan sonĝon. Li kaj Dobri, la filo, vadis en diafana montara rivero. Ne plaĉis al onklo Gergin tiu ĉi sonĝo. Diafana rivero signifas larmojn, diris li al si mem. Kiel ĉiam ankaŭ tiun ĉi tagon en la restoracio estis multaj homoj. Iuj venis posttagmeze por vidi la vulpon. Onklo Gergin rapidis servi al ĉiuj manĝaĵon kaj trinkaĵon. Kiam la suno komencis subiri malantaŭ la monteto, li porti kokidan viandpecon al la vulpo.

– Nun venos mia ruza amikino – diris li fiere al la gastoj. – Preparu viajn fotilojn.

La viroj, virinoj kaj infanoj, kiuj sidis ĉe la tabloj silentiĝis. Ne pasis multe da tempo kaj la vulpo aperis. Ĝi eliris el la arbaro kaj per molaj paŝoj, kvazaŭ ĝi naĝas, direktiĝis al la kokida viandpeco. Antaŭ ekflari ĝin, ĝi ĉirkaŭrigardis , movis la buŝegon kvazaŭ por danki al onklo Gergin kaj dolĉe, dolĉe komencis manĝi. Ĉiuj rigardis la vulpon mire kaj eĉ la infanoj ne kuraĝis moviĝi.

En tiu ĉi momento okazis tio, kio timis onklo Gergin. De la arbaro ektondris pafo. La vulpo kvazaŭ time saltis, sed anstataŭ forkuri, ĝi turnis sin kaj falis ĉe la nemanĝita viandpeco. Ĝiaj sukcenkoloraj okuloj restis malfermitaj kvazaŭ ĝi deziris demandi: "Kial?"

Onklo Gergin plorĝemis. La homoj ĉe la tabloj ŝtoniĝis. La vulpo kuŝis senmova.

Post la mortpafo de la vulpo, onklo Gergin forlasis la restoracion. Al la posedanto Drasev li diris:

– Ivano, verŝajne estas peko, sed mi deziras konfesi al vi, ke por mia filo Dobri mi ne ploris tiel, kiel por la vulpo.

Iom post iom la restoracio "Kvieta Arbaro" senmoviĝis. La aŭtoj pli malofte haltis ĉi tie. Kiam Drasev vidis, ke en la restoracio plu ne venas homoj, li fermis ĝin.

Kaj nun de la aŭtovojo oni povas vidi la rustiĝintan ladan konstruaĵon, sur kiu restis malhela surskribo, preskaŭ forviŝita de la pluvoj "Kvieta Arbaro", sed iu sur la muro de la restoracio skribis per karbo , per mallertaj raspecaj literoj: "Vulpa Restoracio".

저자에 대하여

율리안 모데스트는 불가리아의 소피아에서 태어났다. 1973년 에스페란토를 배우기 시작하여 대학에서 잡지 '불가리아 에스페란토사용자'에 에스페란토 기사와 시를 게재했다.

1977년부터 1985년까지 부다페스트에서 살면서 헝가리 에스페란토사용자와 결혼했다.

첫 번째 에스페란토 단편 소설을 그곳에서 출간했다.

부다페스트에서 단편 소설, 리뷰 및 기사를 통해 다양한 에스페란토 잡지에 적극적으로 기고했다.

그곳에서 그는 헝가리 젊은 작가 협회의 회원이었다.

1986년부터 1992년까지 소피아의 '성 클리멘트 오리드스키'대학에서 에스페란토 강사로 재직하면서 언어, 원작 에스페란토 문학 및 에스페란토 운동의 역사를 가르쳤고. 1985년부터 1988년까지 불가리아 에스페란토 협회 출판사의 편집장을 역임했다.

1992년부터 1993년까지 불가리아 에스페란토 협회 회장을 지냈다.

불가리아에서 가장 유명한 작가 중 한 명이며 불가리아 작가 협회와 에스페란토 PEN 클럽회원이다.

PRI JULIAN MODEST

Julian Modest naskiĝis en Sofio. Bulgario. En 1977 li finis bulgaran filologion en Sofia Universitato "Sankta Kliment Ohridski", kie en 1973 li komencis lerni Esperanton. Jam en la universitato li aperigis Esperantajn artikolojn kaj poemojn en revuo "Bulgara Esperantisto".

De 1977 ĝis 1985 li loĝis en Budapeŝto, kie li edziĝis al hungara esperantistino. Tie aperis liaj unuaj Esperantaj noveloj. En Budapeŝto Julian Modest aktive kontribuis al diversaj Esperanto-revuoj per noveloj, recenzoj kaj artikoloj. Tie li estis membro de la Asocio de Junaj Hungaraj Verkistoj. De 1986 ĝis 1992 Julian Modest estis lektoro pri Esperanto en Sofia Universitato "Sankta Kliment Ohridski", kie li instruis la lingvon, originalan Esperanto-literaturon kaj historion de Esperanto-movado. De 1985 ĝis 1988 li estis ĉefredaktoro de la eldonejo de Bulgara Esperantista Asocio. En 1992-1993 li estis prezidanto de Bulgara Esperanto-Asocio.

율리안 모데스트의 작품들

-우리는 살 것이다!-리디아 자멘호프에 대한 기록드라마
-황금의 포세이돈-소설
-5월 비-소설
-브라운 박사는 우리 안에 산다-드라마
-신비한 빛-단편 소설
-문학 수필-수필
-바다별-단편 소설
-꿈에서 방황-짧은 이야기
-세기의 발명-코미디
-문학 고백-수필
-닫힌 조개-단편 소설
-아름다운 꿈-짧은 이야기
-과거로부터 온 남자-짧은 이야기
-상어와 춤추기-단편 소설
-수수께끼의 보물-청소년을 위한 소설
-살인 경고-추리 소설
-공원에서의 살인-추리 소설
-고요한 아침-추리 소설
-사랑과 증오-추리 소설
-꿈의 사냥꾼-단편 소설
-살인자를 찾지 마라-추리 소설
-내 목소리를 잊지 마세요-애정 소설

Julian Modest estas aŭtoro de jenaj Esperantaj verkoj:

1. "Ni vivos!" – dokumenta dramo pri Lidia Zamenhof. Eld.: Hungara Esperanto-Asocio, Budapeŝto,1983.
2. "La Ora Pozidono" – romano. Eld.: Hungara Esperanto-Asocio, Budapeŝto, 1984.
3. "Maja pluvo" – romano. Eld.: "Fonto", Chapeco, Brazilo, 1984.
4. "D-ro Braun vivas en ni". Enhavas la dramon "D-ro Braun vivas en ni" kaj la komedion "La kripto". Eld.: Hungara Esperanto-Asocio, Budapeŝto, 1987.
5. "Mistera lumo" – novelaro. Eld.: Hungara Esperanto-Asocio, Budapeŝto, 1987.
6. "Beletraj eseoj" – esearo. Eld.: Bulgara Esperantista Asocio, Sofio, 1987.
7. "Ni vivos!" – dokumenta dramo pri Lidia Zamenhof - grandformata gramofondisko. Eld.:

"Balkanton", Sofio, 1987

8. "Sonĝe vagi" – novelaro. Eld.: Bulgara Esperanto- Asocio, Sofio, 1992.

9. "Invento de l' jarcento" – enhavas la komediojn "Invento de l' jarecnto" kaj "Eŭropa firmao" kaj la dramojn "Pluvvespero", "Enŝteliĝi en la koron" kaj "Stela melodio". Eld.: Bulgara Esperanto-Asocio, Sofio, 1993.

10. "Literaturaj konfesoj" – esearo pri originala kaj tradukita Esperanto-literaturo. Eld.: Esperanto-societo "Radio", Pazarĝik, 2000.

11. "La fermita konko" – novelaro. Eld.: Al-fab-et-o, Skovde, Svedio, 2001.

12. "Bela sonĝo" – novelaro, dulingva Esperanta kaj korea. Eld.: "Deoksu" Seulo, Suda Koreujo, 2007.

13. "Mara Stelo" – novelaro. Eld.: "Impeto" – Moskvo, 2013

14. "La viro el la pasinteco" – novelaro, esperantlingva. Eldonejo DEC, Kroatio, 2016, dua eldono 2018.

15. "Dancanta kun ŝarkoj" - originala novelaro, eld.: Dokumenta Esperanto-Centro, Kroatio, redaktoro: Josip Pleadin, 2018

16. "La Enigma trezoro" - originala romano por

adoleskuloj, eld.: Dokumenta Esperanto-Centro, Kroatio, redaktoro: Josip Pleadin, 2018

17."Averto pri murdo" - originala krimromano, eld.: Eldonejo "Espero", Peter Balaz, Slovakio, 2018

18."Murdo en la parko" - originala krimromano, eld.: Eldonjeo "Libero", Lode van de Velde, Belgio, 2018

19."Serenaj matenoj" - originala krimromano, eld.: Eldonjeo "Libero", Lode van de Velde, Belgio, 2018

20."Amo kaj malamo" - originala krimromano, eld.: Eldonjeo "Libero", Lode van de Velde, Belgio, 2019

21."Ĉasisto de sonĝoj" - originala novelaro, eld.: Eldonjeo "Libero", Lode van de Velde, Belgio, 2019

22."Ne forgesu mian voĉon" - du noveloj, eld.: Eldonjeo "Libero", Lode van de Velde, Belgio, 2020

23. "Tra la padoj de la vivo" - originala romano, eld.: Eldonjeo "Libero", Lode van de Velde, Belgio, 2020

24."La aventuroj de Jombor kaj Miki" - infanlibro, originale verkita en Esperanto, eld.: Dokumenta

Esperanto-Centro, Kroatio, redaktoro: Josip Pleadin, 2020

25. "Sekreta taglibro" - originala romano, eld.: Eldonjeo "Libero", Lode van de Velde, Belgio, 2020

26. "Atenco" - originala romano, eld.: Eldonjeo "Libero", Lode van de Velde, Belgio, 2021

번역자의 말

오태영(Mateno, 평생 회원)

이 책을 손에 들고 읽어내려가는 분들께 감사드립니다.
흡족하고 좋은 만족한 만남이 되길 바라는 마음입니다.
80년대 대학에서 최루탄을 맞으며 평화에 대해 고민한
나에게 찾아온 희망의 소리는 에스페란토였습니다.
피부와 언어가 다른 사람 사이의 갈등을 풀고 서로 평등
하게 의사소통하며 행복을 추구하는 새로운 이상에 기뻐
하며 공부하였습니다.
세월이 흘러 직장을 은퇴하고 에스페란토 원작 소설을
읽으며 즐거움을 누리다가 초보자를 위해 한글 번역이
있으면 좋겠다는 마음으로 번역을 시작했습니다.
개정판을 내면서 잘못된 부분을 수정하고 에스페란토 원
문을 포함시켰습니다. 글이 조금씩 나아지는 모습을 보
며 에스페란토처럼 삶은 희망이 넘칩니다.
번역이 절대 쉽지 않다는 사실을 절실하게 깨달으면서도
그만둘 수 없는 것은 씨를 뿌려야 열매가 나오기 때문입
니다.
이 책을 읽으며 더 훌륭한 번역가가 나와 우리 문학의
지평을 확장해 주길 바랍니다. 에스페란토 문학의 발전
을 위해 조건없이 출간을 허락해준 율리안 모데스트와
출판사 임페토에 깊은 감사를 드립니다.

Vortoj de tradukisto

Oh Tae-young(Mateno, Dumviva Membro)

Mi donis dankon al tiuj, kiuj legas ĉi tiun libron.

Mi deziras ke legantoj estas kontentaj je ĉi tiu renkontiĝo kun la libro.

Esperanto estis la espera voĉo, kiu venis al mi, kiam mi maltrankviliĝis pri paco, dum la 1980-aj jaroj. Tiam mi sentis pikan atmosferon de larmiga gaso en la universitato.

Mi lernis Esperanton kun ĝojo pri la nova idealo.

Mi esperas, ke spertaj Esperantistoj povas ĝui la legadon de la originala teksto kaj komencantoj povas plibonigi siajn esperantajn kapablojn per referenco de la korea traduko.

En la reviziita eldono, la malĝustaj partoj estis korektitaj kaj la originala esperanta teksto estis inkluzivita.

Dum vi legis ĉi tiun libron, mi esperas, ke pli bonaj tradukistoj eliros kaj plivastigos niajn literaturajn horizontojn. Vidante kiel mia verkado iom post iom pliboniĝas, la vivo estas plena de espero kiel Esperanto. Dankon al Julian Modest kaj Esperanta eldonejo 'Impeto' pro ilia senkondiĉa permeso.